Jak
w niebie

Polecamy powieści Marca Levy'ego

JAK W NIEBIE

JESZCZE SIĘ SPOTKAMY

W NASTĘPNYM ŻYCIU

Strona internetowa Marca Levy'ego:
www.marclevy.info

MARC LEVY

Jak
w niebie

Z francuskiego przełożyła
KRYSTYNA SZEŻYŃSKA-MAĆKOWIAK

Wydawnictwo
A. Kuryłowicz

WARSZAWA 2006

Tytuł oryginału:
ET SI C'ÉTAIT VRAI...

Copyright © Editions Robert Laffont S.A., Paris, 2000
International Rights Management: Susanna Lea Associates

Copyright © for the Polish edition
by Wydawnictwo Albatros A. Kuryłowicz 2006

Copyright © for the Polish translation by Krystyna Szeżyńska-Maćkowiak 2002

Redakcja: Alina Treutler

Ilustracja na okładce: Jacek Kopalski

Projekt graficzny okładki i serii: Andrzej Kuryłowicz

Pierwsze polskie wydanie książki ukazało się nakładem Muzy
pod tytułem A JEŚLI TO PRAWDA

ISBN 83-7359-369-1 / 978-83-7359-369-5

Dystrybucja
Firma Księgarska Jacek Olesiejuk
Kolejowa 15/17, 01-217 Warszawa
tel./fax (22)-631-4832, (22)-632-9155, (22)-535-0557
www.olesiejuk.pl/www.oramus.pl

Wydawnictwo L & L/Dział Handlowy
Kościuszki 38/3, 80-445 Gdańsk
tel. (58)-520-3557, fax (58)-344-1338

Sprzedaż wysyłkowa
Internetowe księgarnie wysyłkowe:
www.merlin.pl
www.ksiazki.wp.pl

WYDAWNICTWO ALBATROS
ANDRZEJ KURYŁOWICZ
adres dla korespondencji:
Wiktorii Wiedeńskiej 7/24, 02-954 Warszawa

Wydanie I
Skład: Laguna
Druk: WZDZ – Drukarnia Lega, Opole

1

Lato 1996

Zadzwonił mały budzik stojący na nocnym stoliku z jasnego drewna. Było wpół do szóstej i cały pokój zalewało światło, jakie o świcie ujrzeć można tylko w San Francisco. Dom pogrążony był we śnie. Suka Kali leżała na wielkim dywanie, Lauren otulona kołdrą na szerokim łożu.

Każdy, kto znalazł się w mieszkaniu Lauren, zauważał jego przyjazną, ciepłą atmosferę. Usytuowane na najwyższym piętrze wiktoriańskiej kamienicy przy Green Street, składało się z typowo amerykańskiej kuchni-salonu, garderoby, dużej sypialni i przestronnej łazienki z oknem. Pokoje wyłożono bukową klepką, podłogę w łazience pomalowano na biało i starannie podzielono czarną farbą na kwadraty. Na białych ścianach wisiały stare sztychy, wyszperane u bukinistów przy Union Square, sufit zaś zdobił drewniany gzyms, rzeźbiarskie dzieło utalentowanego ebenisty z początków stulecia, pokryty przez Lauren farbą w kolorze jasnego karmelu.

Beżowe dywaniki z kojry i juty wytyczały obszar salonu, jadalni i kącika przy kominku. Kremowa, obita miękką tkaniną kanapa kusiła wygodą tego, kto chciałby siąść na wprost kominka. Na niedużych stolikach i szafkach stały piękne lampy z plisowanymi abażurami. Każdą z nich Lauren kupowała oddzielnie, już od trzech lat troszcząc się o wystrój mieszkania.

To była krótka noc. Lauren pracowała jako lekarz w San Francisco Memorial Hospital, a jej wczorajszy dyżur przeciągnął się znacznie ponad dwadzieścia cztery godziny, w ostatniej bowiem chwili zaczęto przywozić ofiary groźnego pożaru. Pierwsze karetki zatrzymały się przed izbą przyjęć dziesięć minut przed końcem zmiany i Lauren niezwłocznie przystąpiła do selekcji rannych, kierując ich do odpowiednich gabinetów. Koledzy z podziwem przypatrywali się jej, gdy z mistrzowską wprawą, poświęcając każdemu z pacjentów kilka minut, osłuchiwała go, opatrywała etykietą, której kolor określał stan obrażeń, stawiała wstępną diagnozę, zlecała najpilniejsze badania i wskazywała sanitariuszom właściwą salę. Selekcja szesnastu osób, przywiezionych do szpitala w ciągu kwadransa po północy, dobiegła końca o wpół do pierwszej i już po piętnastu minutach pilnie wezwani chirurdzy mogli rozpocząć serię operacji tej trudnej nocy.

Lauren asystowała doktorowi Fernsteinowi przy dwóch zabiegach i wyszła do domu dopiero na wyraźne polecenie szefa, który przypomniał jej, że zmęczenie ogranicza sprawność, a zatem może stanowić zagrożenie dla zdrowia pacjentów.

W środku nocy opuściła szpitalny parking za kierownicą swojego triumpha i z dużą prędkością pokonywała opustoszałe ulice. Jestem potwornie zmęczona i jadę zbyt szybko, powtarzała sobie raz po raz, walcząc z sennością, jednak na samą myśl, że mogłaby nieoczekiwanie wrócić do szpitala, i to nie w roli lekarza, ale pacjenta, natychmiast się ocknęła.

Otworzyła pilotem drzwi garażu i zaparkowała stary samochód. Podziemnym przejściem dotarła do głównych schodów i przeskakując po dwa stopnie, znalazła się wreszcie w domu.

Stojący na kominku zegar wskazywał wpół do trzeciej. Lauren zrzuciła ubranie na środku pokoju. Zupełnie naga podeszła do barku, żeby przygotować herbatę. Ustawione na półce słoje kryły wszelkie jej gatunki, jakby każdej porze dnia odpowiadał ten jeden, najwłaściwszy aromat napoju. Postawiła

8

filiżankę na stoliku nocnym, wśliznęła się pod kołdrę i zasnęła, zanim dotknęła poduszki głową. Miniony dzień był o wiele za długi, nadchodzący wymagał wczesnego przebudzenia. Wykorzystując dwa wolne dni, które — co się rzadko zdarzało — wypadły w weekend, przyjęła zaproszenie przyjaciół z Carmelu. I choć zmęczenie w pełni usprawiedliwiałoby dłuższe wylegiwanie się, Lauren za nic nie chciała opóźniać wyjazdu. Uwielbiała oglądać wschody słońca nad drogą biegnącą wzdłuż wybrzeża Pacyfiku i łączącą San Francisco z zatoką Monterey. Zaspana, po omacku szukała guzika wyłączającego budzik. Przetarła dłonią oczy i zwróciła się do leżącej na dywanie Kali.

— Nie patrz na mnie, jakbyś zobaczyła kosmitkę.

Na dźwięk jej głosu suka przybiegła i złożyła łeb na brzuchu swej pani.

— Zostawiam cię na dwa dni, maleńka. Mama wpadnie po ciebie koło jedenastej. Puść mnie, muszę wstać i nakarmić cię.

Lauren rozprostowała nogi, przeciągle ziewnęła i wyskoczyła z łóżka.

Przeczesała palcami włosy, obeszła blat kuchenny, zaparzyła kawę, otworzyła lodówkę i ciągle ziewając, wyjęła z niej masło, konfiturę, tosty, konserwę dla psa, resztkę szynki parmeńskiej, kawałek goudy, dwie buteleczki mleka, przecier jabłkowy, dwa jogurty, płatki zbożowe i pół grejpfruta. Drugą połowę zostawiła na dolnej półce. Kali obserwowała ją, przekrzywiając łeb, aż Lauren popatrzyła na nią srogo i krzyknęła:

— Konam z głodu!

I jak zwykle sięgnęła po ciężką, kamionkową miskę, by najpierw przygotować posiłek dla pupilki.

Potem naszykowała sobie śniadanie i usiadła przy biurku. Stąd, lekko odwróciwszy głowę, mogła podziwiać Saussalito z wtulonymi w zbocza domami, Golden Gate niczym dłonie złączone w uścisku ponad zatoką, port rybacki Tiburon, a w dole dachy schodzących ku Marinie domów. Otworzyła okno; w mieście panowała niezmącona cisza. Tylko syreny frachtowców wypływających do Chin i krzyki mew wskazywały, że budzi się dzień. Lauren przeciągnęła się i z wielkim apetytem zaczęła zajadać gargantuiczne śniadanie. Wczoraj zabrakło jej czasu na kolację. Trzykrotnie sięgała po kanapkę, ale za każdym razem pager brzęczeniem odrywał ją od tej jakże prywatnej sprawy, wzywając do pacjentów. Kiedy ktoś pytał ją o zawód, nieodmiennie odpowiadała: Zaganiana. Zakończywszy poranną ucztę, odstawiła tacę do zlewu i poszła do łazienki. Opuściła drewniane żaluzje, zdjęła białą sięgającą kostek bawełnianą koszulę i weszła pod prysznic. Silny strumień letniej wody całkowicie ją rozbudził.

Wychodząc z kabiny, owinęła się ręcznikiem w talii. Z obnażonymi piersiami i nogami stanęła przed lustrem i skrzywiła się. Postanowiła poprzestać na lekkim makijażu, włożyła dżinsy i sweter, po chwili zdjęła dżinsy i sięgnęła po spódnicę, ale w końcu zdecydowała się na dżinsy. Wyjęła z szafy płócienną torbę, wrzuciła do niej kilka ciuchów i kosmetyczkę. Tak przygotowana do weekendowej wyprawy, rozejrzała się po mieszkaniu i z przerażeniem stwierdziła, że zostawia potworny bałagan. Zewsząd straszyły rzucone byle gdzie ubrania, walające się po podłodze ręczniki, naczynia piętrzące się w zlewie, nieposłane łóżko. Zlekceważywszy sytuację, oznajmiła pełnym głosem wszystkim tym rzeczom:

— Nie pyskować mi tu, jutro wrócę troszkę wcześniej i zrobię z wami porządek!

Potem sięgnęła po ołówek i kartkę i napisała liścik, który następnie umocowała na drzwiach lodówki dużym magnesem w kształcie żaby:

Mamo!
Dziękuję, że zechciałaś zaopiekować się psem, błagam, nie sprzątaj. Zrobię to po powrocie.
Wpadnę do Ciebie po Kali w niedzielę koło 17.00.
Całuję Cię.

Twoja ulubiona Lekarka

Włożyła kurtkę, czule podrapała suczkę za uchem, ucałowała ją w czoło i zatrzasnęła za sobą drzwi.

Zbiegła po schodach, opuściwszy budynek, dotarła do garażu i zręcznie wskoczyła do starego wehikułu.

— Wyjechałam, nareszcie wyjechałam — szeptała. — Nie mogę w to uwierzyć, to istny cud. Obyś tylko nie zawiódł, samochodziku. Nie dokuczaj mi, nie kaszl, nie kichaj, bo naleję ci syropu do silnika, a potem oddam na złom, i kupię sobie śliczny, nowiutki samochód, nafaszerowane elektroniką cudeńko bez rozruszników i kaprysów przy lada chłodzie! Jasne? Zapalaj!

Stary anglik wziął sobie chyba do serca ostre słowa pani, bo silnik od razu zaskoczył. Zapowiadał się piękny dzień.

2

Lauren ruszyła powoli, żeby nie obudzić sąsiadów. Green Street to urocza ulica drzew i niewysokich domów. Jej mieszkańcy znają się jak ludzie w małych miasteczkach. Przy szóstym skrzyżowaniu przed Van Ness, jedną z dwóch wielkich arterii miasta, dodała gazu. Blade światło, którego barwa zmieniała się z minuty na minutę, stopniowo odkrywało piękno i potęgę miasta. Samochód z dużą prędkością mknął po opustoszałych ulicach. Na zboczach San Francisco, jak chyba nigdzie indziej, można doznać zawrotu głowy.

Lauren pokonała ostry zakręt w Sutter Street. Piskowi opon wtórowało rytmiczne tykanie kierunkowskazu. O szóstej trzydzieści mknęła stromym zjazdem do Union Square ogłuszona muzyką z odtwarzacza samochodowego. Dawno nie czuła się tak szczęśliwa. Zapomniała o stresie, o szpitalu i obowiązkach. Ten weekend miała wyłącznie dla siebie, nie chciała tracić ani minuty. Na Union Square panował spokój. Za kilka godzin ulice zaroją się od turystów i mieszkańców, robiących zakupy w sklepach wokół placu. Ruszą cable-cars*, wzrok zaczną przyciągać oświetlone wystawy, sznur samochodów ustawi się przed wjazdem na główny parking, gdzie uliczni grajkowie

---

* Tramwaje kursujące w San Francisco.

będą śpiewać i grać, zbierając rzucane przez przechodniów centy i dolary.

Ale na razie, wczesnym rankiem, panuje tu cisza i spokój. Witryny są ciemne, na ławkach śpią kloszardzi. W budce na parkingu drzemie strażnik. Triumph połyka asfalt, posłuszny dźwigni biegów. Widząc zielone światło, Lauren redukuje biegi i wrzuca dwójkę, szykując się do wejścia w zakręt w Polk Street, jedną z czterech ulic otaczających plac. Lekko oszołomiona, z włosami przewiązanymi cienkim szalem, bierze wiraż przed ogromną fasadą budynku Macy'sa. Samochód zatacza idealny łuk, opony z lekka popiskują, potem rozlega się dziwny dźwięk, jakby ciąg zgrzytów i stukotów, które mieszają się, plączą i kłócą.

I nagle ten łoskot! Czas zastyga. Milknie dialog kierunkowskazów i kół, łączność została zerwana. Samochód wypada z toru, ślizga się po mokrej jeszcze jezdni. Grymas wykrzywia twarz Lauren. Ręce zaciskają się na kierownicy, która bezwolnie kręci się i obraca bez końca w próżni, przekreślając plany na budzący się dzień. Triumph sunie po ulicy, wytrącony ze zwykłego rytmu, czas dłuży się nagle jak w przeciągłym ziewnięciu. Świat wiruje wokół niej, wiruje w zawrotnym tempie. Samochód zachowuje się jak bąk wprawiony w ruch przez dziecko. Nagle koła odbijają się od krawężnika, przód unosi się i uderza w hydrant. Maska szybuje w górę, a samochód obraca się i resztką sił wyrzuca siedzącą za kierownicą dziewczynę, zbyt ciężką dla maszyny kręcącej sprzeczne z prawami grawitacji piruety. Lauren przelatuje kilka metrów i opada, uderzając w fasadę sklepu. Ogromna witryna rozpryskuje się na tysiące kryształków, które zaściełają chodnik. Dziewczyna toczy się po szklanym dywanie, w końcu nieruchomieje pośród odłamków i tylko jej rozrzucone bezładnie włosy unosi lekki podmuch wiatru, podczas gdy stary triumph kończy tę podróż i długi żywot, leżąc na dachu, oparty jedną połową o chodnik. Odrobina dymu unosi się ponad trzewia wozu, jakby biedak wydał ostatnie tchnienie, jakby pozwolił sobie na ostatni kaprys.

Lauren nie porusza się. Spokojnie odpoczywa. Żaden grymas nie wykrzywia jej twarzy, dziewczyna oddycha powoli i regularnie. Lekko rozchylone wargi ułożyły się w ledwie dostrzegalny uśmiech, oczy są zamknięte. Można by pomyśleć, że śpi. Długie włosy okalają jej twarz, a prawa ręka leży na brzuchu. Strażnik siedzący w budce przeciera oczy — widział wszystko jak w kinie, ale to była rzeczywistość, jak później powiedział. Wstaje, wybiega na zewnątrz, lecz nagle zawraca. Podnosi słuchawkę i gorączkowo wykręca numer. Wzywa pogotowie i karetka rusza w drogę.

*

Stołówka San Francisco Hospital to duże pomieszczenie z posadzką z białej terakoty i pomalowanymi na żółto ścianami. Kwadratowe stoliki z laminowanymi blatami ciągną się szeregiem od drzwi do dystrybutorów żywności i napojów. Doktor Philip Stern drzemał, wyciągnąwszy się na jednym z tych stołów. W ręku trzymał filiżankę kawy, która już dawno wystygła. Nieco dalej jego kolega bujał się na krześle i wpatrywał w pustkę. W kieszeni Sterna rozdzwonił się pager. Lekarz otworzył oko i zerknąwszy na zegarek, mruknął coś pod nosem. Za kwadrans jego dyżur dobiegał końca.

— Nie do wiary! Zawsze mam pecha! Frank, zadzwoń do centrali!

Frank sięgnął po słuchawkę wiszącego nad jego głową telefonu i wysłuchał informacji, potem odłożył słuchawkę i zwrócił się do Sterna.

— Wstawaj, stary, to do nas, Union Square, kod 3, podobno to coś poważnego...

Obaj lekarze pracujący w miejskiej EMS* podnieśli się i ruszyli w kierunku garażu, gdzie czekała już karetka z uruchomionym silnikiem i migającym światłem alarmowym. Dwa

---

* Emergency Medical System, czyli pogotowie ratunkowe.

krótkie dźwięki syreny zasygnalizowały wyjazd jednostki 02. Była za kwadrans siódma, ruch na Market Street jeszcze się nie zaczął, toteż ambulans szybko mknął do celu.

— Cholera, w dodatku zapowiada się piękny dzień!

— Przestań zrzędzić!

— Padam ze zmęczenia. Prześpię cały dzień i nie wytknę nosa z domu.

— Skręć w lewo, pojedziemy pod prąd.

Frank posłuchał tej rady i karetka przez Polk Street dotarła do Union Square.

— Dodaj gazu, widzę ich.

Obaj lekarze zobaczyli najpierw zawieszony na hydrancie wrak starego triumpha. Frank wyłączył syrenę.

— Do diabła, nieźle trafił — stwierdził Stern, wyskakując z wozu.

Na miejscu wypadku byli już dwaj policjanci i jeden z nich wskazał Philipowi rozbitą witrynę.

— Gdzie ranny? — lekarz zwrócił się z tym pytaniem do policjanta.

— Tam, przed panem. To kobieta. Jest lekarką i podobno pracuje w pogotowiu. Może pan ją zna?

Stern klęczał już przy Lauren i głośno przywoływał kolegę. W ręku trzymał nożyczki, którymi zdążył już rozciąć dżinsy i sweter, by odsłonić ciało. Na lewej nodze widoczna była deformacja, a wokół niej rozległy krwiak, co wskazywało na złamanie. Innych dostrzegalnych obrażeń nie stwierdził.

— Przygotuj kroplówkę i elektrokardiograf. Tętno nitkowate, ciśnienie gwałtownie spada, czterdzieści osiem oddechów, uraz głowy, złamanie kości udowej prawej nogi z dużym ubytkiem krwi. Przygotuj szyny. Znasz ją? Pracuje u nas?

— Widywałem ją, to lekarka z izby przyjęć, od Fernsteina. Jedyna, która potrafi mu się przeciwstawić.

Philip zignorował tę ostatnią uwagę. Frank tymczasem umocował siedem elektrod na klatce piersiowej kobiety i różnokolorowymi przewodami połączył je z przenośnym elektrokardiografem. Potem włączył urządzenie. Ekran natychmiast rozbłysł.

— Co tam masz? — zapytał kolegę.

— Nic dobrego, tracimy ją. Ciśnienie osiemdziesiąt na sześćdziesiąt, tętno sto czterdzieści, wargi sine. Przygotowuję rurkę intubacyjną, siódemkę. Musimy intubować.

Doktor Stern założył wenflon, podłączył kroplówkę i i podał butelkę z płynem fizjologicznym policjantowi.

— Proszę trzymać to w górze, muszę mieć wolne ręce.

I niemal w tej samej chwili zwrócił się do kolegi, polecając mu podać rannej miligram adrenaliny oraz sto dwadzieścia pięć miligramów solu-medrolu i przygotować defibrylator. W tym momencie zauważył gwałtowny spadek temperatury ciała. Wykres EKG stał się nieregularny. Na dole zielonego ekranu zaczęło pulsować czerwone serce, raz po raz rozlegał się krótki sygnał alarmowy, informujący o groźbie migotania komór.

— Trzymaj się, mała! Musi mieć silny krwotok wewnętrzny. Co z brzuchem?

— Miękki. To pewnie udo. Gotów do intubacji?

W niespełna minutę wprowadzili rurkę do krtani i podłączyli ranną do respiratora. Stern poprosił o bilans danych. Frank poinformował go, że oddech jest regularny, ciśnienie spadło do pięćdziesięciu. Zanim skończył zdanie, krótkie dźwięki zmieniły się w przejmujący gwizd aparatu.

— Migotanie! Nastaw na trzysta dżuli.

Philip potarł o siebie elektrody defibrylatora.

— Gotowe, możesz zaczynać! — krzyknął Frank.

— Odsunąć się!

Impuls elektryczny wstrząsnął ciałem, które wygięło się w łuk i po chwili opadło.

— Mało!

— Daj trzysta sześćdziesiąt, powtarzamy.

— Jest trzysta sześćdziesiąt, możesz zaczynać.

— Odsunąć się!

Ciało znów się wyprężyło i bezwładnie opadło.

— Daj jeszcze miligram adrenaliny i ładuj trzysta sześć-dziesiąt. Odsunąć się! — Kolejny wstrząs poderwał ciało z miejsca. — Ciągłe migotanie! Tracimy ją. Daj jednostkę lidokainy i naładuj. Odsunąć się! — Ciało znowu się uniosło. — Pięć miligramów bretylium i natychmiast ładuj trzysta osiem-dziesiąt!

Po kolejnym wstrząsie wydawało się, że serce Lauren za-czyna reagować na zaaplikowane środki i odzyskuje prawid-łowy rytm, ale trwało to zaledwie chwilę. Gwizd, który ustał na kilka sekund, rozległ się ponownie...

— Zatrzymanie akcji serca — stwierdził Frank.

Philip bez chwili namysłu przystąpił do masażu serca. Działał z niezwykłym uporem i zaangażowaniem. Próbując przywrócić pacjentkę do życia, szeptał błagalnie: Nie bądź głupia, dzisiaj jest tak pięknie, wróć, nie rób nam tego. Potem kazał koledze jeszcze raz przygotować defibrylator. Frank usiłował przemó-wić mu do rozsądku:

— Philipie, daj spokój, to na nic.

Ale Stern nie dawał za wygraną; wrzasnął, każąc Frankowi naładować aparat. Frank ustąpił. Jeszcze raz polecił odsunąć się od dziewczyny. Jej ciało wyprężyło się, ale zapis EKG pozostał płaski. Philip podjął masaż serca, pot zrosił mu czoło. Zmęczenie potęgowało desperację młodego lekarza, który mu-siał stawić czoło własnej bezsilności. Frank zdawał sobie sprawę, że jego kolega nie jest w stanie działać zgodnie z na-kazami logiki. Już kilka minut temu powinien był przerwać daremną reanimację i podać godzinę zgonu, ale nie zrobił tego, kontynuując wciąż masaż serca.

— Daj jeszcze pół miligrama adrenaliny i załaduj czterysta.

— Philipie, przestań, to nie ma sensu, ona nie żyje. Co ty wyprawiasz?!

— Zamknij się i rób, co ci każę!

Policjant spojrzał pytająco na klęczącego przy Lauren leka-rza, ale Philip nawet tego nie zauważył. Frank wzruszył ramionami, podał kolejną dawkę adrenaliny i załadował defibrylator. Kiedy podał poziom czterysta dżuli, Stern nie kazał nawet odsunąć się i zbliżył elektrody do ciała. Pod wpływem silnego wstrząsu klatka piersiowa Lauren gwałtownie oderwała się od ziemi, ale EKG pozostało niezmienione. Lekarz nawet nie spojrzał na ekran — wiedział, jaki będzie efekt, zanim podjął tę ostatnią próbę. Uderzył pięścią w pierś Lauren.

— Cholera jasna!

Frank ujął go za ramiona i potrząsnął.

— Przestań, tracisz głowę, uspokój się! Musisz stwierdzić zgon. Czas wracać do bazy. Nerwy ci wysiadły, najwyższa pora, żebyś odpoczął.

Zlany potem Philip błędnym wzrokiem patrzył gdzieś w dal. Frank podniósł głos i ujął twarz kolegi w obie dłonie, zmuszając, by na niego spojrzał.

Krzyknął ostro, każąc mu się uspokoić, a wobec braku jakiejkolwiek reakcji, spoliczkował. Uderzenie otrzeźwiło Philipa, teraz słuchał przemawiającego doń łagodnie kolegi:

— Wracajmy, musisz się z tego otrząsnąć.

W końcu, wyczerpany, wstał i odszedł. Policjanci już od dłuższej chwili stali jak wryci, obserwując dziwne zachowanie obu lekarzy. Frank szedł, odwracając się raz po raz, kompletnie bezradny, Philip, który klęczał z pochyloną głową, spojrzał w górę i szepnął:

— Zgon nastąpił o godzinie siódmej dziesięć. — A zwracając się do policjanta, który nie śmiał głębiej odetchnąć i wciąż trzymał butlę z płynem do perfuzji, powiedział: — Zabierzcie ją, to koniec, nic więcej nie da się zrobić.

Wstał, ujął kolegę pod ramię i pociągnął za sobą do karetki. Policjanci odprowadzili wzrokiem wsiadających do wozu lekarzy.

— Jakieś dziwne konowały! — mruknął jeden z nich. Drugi spojrzał na niego karcąco.

— Zdarzyło się, żeby na twoich oczach zginął gliniarz?

— Nie.

— Dlatego nie potrafisz zrozumieć, co czuli. Pomóż mi. Ułożymy ją delikatnie na noszach i przeniesiemy do wozu. Ambulans zniknął już za rogiem ulicy. Policjanci unieśli nieruchome ciało Lauren, złożyli je na noszach i okryli kocem. Nieliczni gapie rozchodzili się — widowisko dobiegło końca. Siedzący w EMU* lekarze milczeli. Pierwszy odezwał się Frank.

— Co się z tobą dzieje?

— Nie ma nawet trzydziestki, jest lekarką i tak piękną kobietą, że patrząc na nią, można umrzeć z zachwytu.

— Tymczasem to ona umarła! Co z tego, że była lekarką i piękną kobietą? Równie dobrze mogłaby być brzydką kasjerką z supermarketu. Widać to było jej pisane. Nic na to nie poradzisz. Wybiła jej godzina. Zaraz będziesz w domu, prześpij się i spróbuj o wszystkim zapomnieć.

Dwie przecznice wcześniej wóz policyjny mijał skrzyżowanie, na które wjechała tuż po zmianie świateł taksówka. Rozwścieczony policjant gwałtownie zahamował i wcisnął klakson. Kierowca „Limo Service" zatrzymał się i potulnie przeprosił za nieuwagę. Ciało Lauren spadło z noszy. Funkcjonariusze wyszli z kabiny. Młodszy ujął ją za nogi, starszy za ramiona. Jego twarz zamarła, gdy ujrzał unoszącą się klatkę piersiową zmarłej...

— Ona oddycha!

— Co takiego?!

— Mówię ci, że ona oddycha, wskakuj do wozu i wal prosto do szpitala.

— Widzisz! A nie mówiłem, że nie dowierzam tym konowałom!

— Zamknij się i jedź. Nic z tego nie rozumiem, ale ci dwaj mnie popamiętają.

Radiowóz przemknął przed oczyma osłupiałych lekarzy, wyprzedzając karetkę. To byli „ich" gliniarze! Philip chciał już

---

* Emergency Medical Unit, karetka reanimacyjna; erka.

włączyć syrenę i gnać za nimi, ale Frank zaoponował — czuł się zmęczony i zobojętniały.

— Dokąd tak pędzą?

— Nie mam pojęcia — odparł Frank. — A zresztą, może to nie oni. Wszyscy policjanci są do siebie podobni.

Po dziesięciu minutach zaparkowali obok radiowozu, którego drzwi pozostawiono otwarte. Philip przyspieszył kroku, zbliżając się do rejestracji. Bez słowa powitania zwrócił się do dyżurnej pielęgniarki:

— Do której sali ją przewieźli?

— Kogo, doktorze? — zapytała.

— Tę młodą kobietę, którą przywieźli policjanci.

— Jest na bloku 3, Fernstein się nią zajął. Podobno pracuje w jego zespole.

Starszy z dwóch policjantów stanął za nim i położył mu rękę na ramieniu.

— Czego was uczą na tej medycynie?

— Przepraszam, ale...

Słowo przepraszam było w tej sytuacji jak najbardziej na miejscu, ale nie wystarczało. Jak mógł stwierdzić zgon dziewczyny, która oddychała w radiowozie?

— Zdaje pan sobie sprawę, że gdyby nie ja, żywcem wsadziliby ją do lodówki?

Zapowiedział lekarzowi, że nie puści tego płazem. Właśnie wtedy z bloku wyszedł doktor Fernstein i jakby nie widząc policjanta, zwrócił się wprost do młodego lekarza:

— Doktorze Stern, jaką łączną dawkę adrenaliny zaaplikował pan rannej?

— Cztery razy po jednym miligramie — odparł Stern.

Fernstein nie oszczędził mu ostrej reprymendy, podkreślając, że takie postępowanie świadczy o kierowaniu się emocjami, następnie poinformował oficera, że Lauren z całą pewnością nie żyła od dłuższego czasu, gdy doktor Stern stwierdził jej zgon.

Dodał jeszcze, że zespół prawdopodobnie popełnił błąd, zbyt uporczywie starając się przywrócić akcję serca pacjentki i bez potrzeby trwoniąc pieniądze ubezpieczonych. Aby ostatecznie zamknąć tę sprawę, wyjaśnił, że podany dożylnie płyn zgromadził się wokół osierdzia. Przy gwałtownym hamowaniu przedostał się do serca, które, przejawiając czysto chemiczną reakcję, podjęło pracę. Ale nic nie odwróci śmierci mózgowej ofiary. Praca serca ustanie, gdy lek straci aktywność. Może nawet już to nastąpiło. Dorzucił, że będąc na miejscu policjanta, przeprosiłby doktora Sterna za nazbyt nerwową i niestosowną reakcję, a lekarzowi polecił, by przed wyjściem zajrzał do jego gabinetu. Policjant spojrzał na Philipa i burknął:

— Widzę, że policja nie ma monopolu na solidarność. Nie życzę panu miłego dnia.

Odwrócił się i wyszedł ze szpitala. Choć dźwięki z zewnątrz docierały tu mocno stłumione, słychać było, jak trzasnął drzwiami radiowozu.

Stern stał wciąż w miejscu i wsparłszy ręce o blat, spod przymkniętych powiek patrzył pytająco na pielęgniarkę. Co tu się właściwie dzieje? Wzruszyła ramionami i przypomniała, że czeka na niego Fernstein.

Zapukał i chociaż drzwi gabinetu były uchylone, poczekał, aż szef Lauren zaprosi go do środka. Fernstein wyglądał przez okno, zwrócony tyłem do gościa. Najwyraźniej chciał, by młodszy kolega rozpoczął tę rozmowę. Tak też się stało. Philip przyznał, że niewiele zrozumiał z wyjaśnień udzielonych policjantowi. Fernstein nie pozwolił mu dokończyć.

— Proszę posłuchać, kolego. Powiedziałem temu policjantowi w najprostszy sposób to, co mogło do niego trafić i odwieść od zamiaru złożenia raportu, który mógłby przekreślić pana karierę. Pańskie postępowanie jest karygodne u tak doświadczonego lekarza. Trzeba umieć pogodzić się ze śmiercią, kiedy nie można jej zapobiec. Nie jesteśmy bogami, nie decydujemy o ludzkich losach. Dziewczyna zmarła tuż po pańskim przybyciu i ten upór mógł pana drogo kosztować.

— Jak w takim razie wyjaśni pan fakt, że znów zaczęła oddychać?

— Moja praca nie polega na wyjaśnianiu każdego zjawiska. Tak wielu rzeczy jeszcze nie wiemy. Ona umarła, doktorze Stern. Może się to panu nie podobać, ale Lauren odeszła. Nie obchodzi mnie, że jej płuca się poruszają, że serce jeszcze jakoś się miota — elektroencefalogram nie pozostawia najmniejszych złudzeń. Śmierć mózgowa Lauren jest nieodwracalna. Zaczekamy, aż ustanie praca innych narządów, odeślemy zwłoki do kostnicy i kropka.

— Nie może pan tego zrobić! Nie może pan zlekceważyć tak oczywistych oznak!

Fernstein nie krył zniecierpliwienia — pokręcił głową i podniesionym głosem zgromił młodego lekarza. Nie pozwoli się pouczać. Czy Stern zdaje sobie sprawę, jaki jest koszt dnia hospitalizacji na oddziale intensywnej opieki? A może sądzi, że szpital zablokuje łóżko, żeby utrzymywać przy życiu taką „roślinę"? Uświadomił mu więc, że najwyższy czas dorosnąć. Nie zamierzał skazywać rodzin takich pacjentów na tkwienie całymi tygodniami przy łóżku istoty, która nie porusza się ani nie myśli, ale pozornie żyje — dzięki maszynom. Nie weźmie na siebie odpowiedzialności za tego rodzaju decyzję tylko po to, żeby zadowolić lekarskie sumienie.

Polecił Sternowi wziąć prysznic, co powinno go trochę otrzeźwić. Poradził też, żeby zszedł mu z oczu. Ale młody lekarz wciąż stał naprzeciw profesora i przytaczał kolejne argumenty. Stwierdził zgon pacjentki po dziesięciu minutach od zatrzymania akcji serca i oddychania. Serce i płuca Lauren przestały funkcjonować. Tak, nie ustępował, bo po raz pierwszy w praktyce lekarskiej zdarzyło mu się poczuć, że ta kobieta nie chce umrzeć. Opowiadał, jak w otwartych wciąż oczach dostrzegł coś, co świadczyło o skrytej, twardej walce, o zdecydowanym sprzeciwie.

Dlatego walczył wraz z nią, naruszając powszechnie przyjęte normy, a dziesięć minut potem, wbrew wszelkiej logice, wbrew temu, czego go uczono, jej serce znów zaczęło bić, płuca wdychały i wydychały powietrze — życie wróciło.

— Ma pan rację — ciągnął — jesteśmy lekarzami i wielu rzeczy nie wiemy. Ta kobieta również jest lekarzem.

Błagał Fernsteina, żeby dał jej szansę. Przecież zdarzało się, że ludzie wychodzili ze śpiączki, która trwała ponad pół roku, a medycyna nie potrafiła wyjaśnić mechanizmu wyzdrowienia. Nikt jeszcze nie dokonał tego, co udało się Lauren, więc mniejsza o pieniądze.

— Proszę nie skazywać jej na śmierć, ona nie chce umierać i usiłuje nam to powiedzieć.

Po chwili milczenia profesor odparł:

— Doktorze Stern, Lauren była jedną z moich uczennic. Miała paskudny charakter, ale i prawdziwy talent. Ceniłem ją za to i wiązałem z nią wielkie nadzieje. Wiążę je również z panem. Uważam naszą rozmowę za zakończoną.

Stern wyszedł z gabinetu, nie zamykając za sobą drzwi. W korytarzu czekał na niego Frank.

— Co ty tu robisz?

— Kompletnie oszalałeś?! Wiesz, kim jest facet, z którym odważyłeś się kłócić?

— Kim?

— Profesorem, zwierzchnikiem tej dziewczyny. Zna ją, widuje od ponad roku, a ocalił więcej ludzi, niż ty zdołasz ocalić do samej emerytury. Musisz nad sobą panować, czasami naprawdę ci odbija.

— Daj mi spokój, Frank, wysłuchałem już dziennej porcji morałów.

3

Profesor Fernstein zamknął drzwi gabinetu, podniósł słuchawkę, zawahał się, odłożył ją, ruszył w stronę okna i nagle zawrócił, by chwycić za słuchawkę. Poprosił o połączenie z blokiem operacyjnym.

— Mówi Fernstein. Przygotujcie się, za dziesięć minut operujemy, zaraz przyślę kartę.

Łagodnym ruchem odłożył słuchawkę, pokręcił głową i wyszedł z gabinetu. Po drodze niemal zderzył się z profesorem Williamsem.

— Jak się masz? — zapytał Williams. — Napijemy się kawy?

— Nie mogę.

— Co robisz?

— Głupstwo. Za chwilę popełnię potworne głupstwo. Muszę lecieć, zadzwonię do ciebie.

Fernstein wszedł na blok operacyjny w zielonym fartuchu przewiązanym w pasie. Pielęgniarka pomogła mu wsunąć sterylne rękawice. Sala była ogromna. Nad ciałem Lauren zebrał się zespół operacyjny. Monitor za jej głową migotał, ukazując rytm oddychania i pracy serca.

— Jaki jest stan pacjentki? — zwrócił się do anestezjologa Fernstein.

— Stabilny. Zdumiewająco stabilny. Tętno sześćdziesiąt pięć, ciśnienie sto dwadzieścia na osiemdziesiąt. Pacjentka śpi. Gazometria w normie. Możemy zaczynać.

— Tak, rzeczywiście śpi.

Skalpel rozciął udo w miejscu złamania. Rozsuwając mięśnie, Fernstein zwrócił się do zespołu. Wyjaśniał „drogim kolegom", że będą mieli okazję zobaczyć, jak profesor chirurgii, lekarz z dwudziestoletnim stażem, przeprowadza zabieg złożenia kości udowej, godny studenta piątego roku.

— A czy wiecie, dlaczego to robię? Ponieważ żaden student nie zechciałby operować złamanej nogi osoby, której śmierć mózgowa nastąpiła przed dwiema godzinami.

Poprosił, aby nie zadawali mu żadnych pytań. Operacja zajmie mu najwyżej kwadrans. Z góry podziękował, że włączyli się do tej gry. Ale Lauren była jego studentką, toteż wszyscy obecni rozumieli chirurga i wspierali jego poczynania. Do sali wszedł neurolog i podał Fernsteinowi wyniki tomografii. Na zdjęciach widoczny był krwiak płata potylicznego. Postanowiono wykonać punkcję, aby odbarczyć mózg. Przez otwór nawiercony w tylnej części czaszki wprowadzono cienką igłę, której ruch lekarze obserwowali na ekranie. Chirurg doprowadził ją do miejsca, gdzie utworzył się krwiak. Wszystko wskazywało, że mózg nie uległ uszkodzeniu. Krwisty płyn wypływał przez sondę. Ciśnienie śródczaszkowe niemal natychmiast spadło. Teraz anestezjolog mógł zwiększyć ilość tlenu dostarczanego organizmowi poprzez wprowadzoną do tchawicy rurkę. Przywrócenie normalnego metabolizmu uwolnionych od ucisku komórek umożliwiało stopniowe wyzbywanie się toksyn. Atmosfera w sali operacyjnej zmieniała się z minuty na minutę. Wszyscy uczestniczący w zabiegu zapomnieli, że operowana jest istota ludzka w stanie śmierci mózgowej. Zaczęła się gra o dużą stawkę, liczył się każdy ruch, więc, jak podczas poważnego zabiegu, dbano o precyzję i profesjonalizm. Prześwietlono klatkę piersiową, złożono złamane żebra, wykonano nakłucie opłucnej. Operację przeprowadzano z wielką precyzją, dbając o każdy istotny szczegół. Po pięciu godzinach pracy profesor Fernstein ściągnął gumowe rękawice. Poprosił, by asystujący mu lekarz założył szwy. Następnie pacjentka miała trafić do sali pooperacyjnej. Polecił natychmiast po wybudzeniu z narkozy odłączyć aparaturę podtrzymującą oddychanie.

Raz jeszcze podziękował całemu zespołowi za współpracę i dyskrecję. Zanim wyszedł z sali, poprosił Betty, jedną z pielęgniarek, aby powiadomiła go, kiedy odłączy respirator. Opuścił blok i szybkim krokiem ruszył w kierunku windy. Mijając recepcję, zapytał, czy doktor Stern jest jeszcze w szpitalu. W odpowiedzi usłyszał, że jego młodszy kolega wyszedł jakiś czas temu, wyraźnie przygnębiony. Podziękował i poinformowawszy, że będzie w swoim gabinecie, odszedł.

Po opuszczeniu bloku operacyjnego Lauren trafiła do sali pooperacyjnej. Betty podłączyła aparaturę monitorującą pracę serca oraz respirator. Leżąca w łóżku kobieta wyglądała teraz jak kosmonautka. Pielęgniarka pobrała krew i wyszła z sali. Śpiąca nadal pacjentka była bardzo spokojna, a jej zamknięte powieki zdawały się wytyczać granice świata kojącego, głębokiego snu. Pół godziny później Betty zadzwoniła do doktora Fernsteina. Poinformowała go, że działanie narkozy ustało. Zapytał o stan pacjentki. Tak jak się spodziewał, usłyszał, że jest stabilny. Pielęgniarka raz jeszcze poprosiła, aby potwierdził wydane wcześniej polecenie.

— Proszę odłączyć respirator. Przyjdę za chwilę.

I odłożył słuchawkę. Betty weszła do sali, odłączyła rurkę od aparatu, umożliwiając pacjentce podjęcie próby samodzielnego oddychania. Po chwili wyciągnęła rurkę z tchawicy. Odsunęła opadający na twarz Lauren kosmyk włosów, popatrzyła na nią ze wzruszeniem i wyszła, gasząc światło. W pokoju migotało tylko zielone światło encefalografu. Wykres wciąż był płaski. Dochodziło wpół do dziesiątej wieczorem i w szpitalu panowała cisza.

Pod koniec pierwszej godziny pisak oscylografu drgnął, najpierw ledwo dostrzegalnie. Nagle linia wystrzeliła w górę i z tego imponującego wierzchołka gwałtownie opadła w dół, by powrócić do poziomu wyjściowego i pobiec dalej prosto. Nikt nie zauważył tej anomalii. Ale w tym właśnie tkwi potęga przypadku — Betty wróciła do sali godzinę później. Przejrzała wyniki, rozwinęła też kilka centymetrów taśmy, którą wypluwała maszyna, dostrzegła dziwny wierzchołek, zmarszczyła brwi i przejrzała jeszcze kilka centymetrów taśmy. Stwierdziwszy, że linia biegnie prosto, rzuciła papier, nie zastanawiając się dłużej nad ową anomalią. Podeszła do telefonu i połączyła się z Fernsteinem.

— To ja. Jest w śpiączce, ale stabilna. Co mam robić?

— Proszę poszukać wolnego łóżka na piątym piętrze. Dziękuję, Betty.

I Fernstein odłożył słuchawkę.

4

Zima 1996

Arthur otworzył pilotem drzwi garażu i zaparkował samo-chód. Wewnętrznymi schodami wszedł do budynku i po chwili był już w swoim nowym mieszkaniu. Nogą zatrzasnął drzwi, odstawił teczkę, zdjął palto i wyciągnął się na kanapie. Około dwudziestu piętrzących się na środku salonu kartonowych pudeł przywołało go do porządku. Zdjął garnitur, wskoczył w dżinsy i zabrał się do rozpakowywania paczek. Musiał ustawić leżące w nich książki w biblioteczkach. Parkiet skrzy-piał mu pod nogami. Znacznie później, kiedy wieczór stał się nocą, a wszystkie rzeczy znalazły właściwe miejsca, złożył kartony, odkurzył salon i zajął się porządkami w kąciku kuchennym. Potem przez chwilę przyglądał się swemu nowe-mu gniazdku. Robi się ze mnie dziwak, pomyślał. Idąc do łazienki, zastanawiał się, czy wziąć prysznic, czy może kąpiel. Wybrał kąpiel. Odkręcił kran, włączył radio stojące na grzej-niku obok drewnianej szafy, rozebrał się i z westchnieniem ulgi wszedł do wanny.

Na fali 101,3 FM Peggy Lee śpiewała *Fever*, kiedy Arthur po kilkakroć zanurzał głowę pod wodą. Zaskoczyła go jakość dźwięku słuchanej piosenki, potem w zdumienie wprawił efekt stereofonii, zwłaszcza że radio było chyba monofoniczne. Zaczął się pilniej przysłuchiwać i znów odniósł dziwne wrażenie, że towarzyszące muzyce strzelanie z palców dobiega z szafy. Zaintrygowany, wyszedł z wody i po cichutku zbliżył się do drzwi szafy. Słuchał przez chwilkę. Dźwięk stawał się coraz wyraźniejszy. Arthur zawahał się, nabrał tchu i szybkim ruchem otworzył oba skrzydła drzwi. Wytrzeszczył oczy i cofnął się mimo woli.

W szafie siedziała ukryta między wieszakami dziewczyna. Powieki miała opuszczone — pewnie urzekł ją rytm melodii, dlatego strzelała z palców i nuciła.

— Kim pani jest, co pani tu robi?! — wykrzyknął Arthur.

Kobieta aż podskoczyła i spojrzała na niego ze zdumieniem.

— To pan mnie widzi?

— Oczywiście, że panią widzę.

Sprawiała wrażenie bardzo zaskoczonej tym naturalnym faktem. Uświadomił jej więc, że nie jest ani ślepy, ani głuchy i ponowił pytanie: co tu robi? Zamiast oczekiwanej odpowiedzi usłyszał, że to cudowne. Arthur jednak nie uważał tej sytuacji za „cudowną" i poirytowanym tonem po raz trzeci zadał kobiecie pytanie: co robi w jego łazience w środku nocy?

— Widzę, że pan niczego nie rozumie — podjęła. — Proszę dotknąć mojego ramienia! — Ponieważ stał jak osłupiały, powtórzyła: — No, niechże pan dotknie mojego ramienia!

— Nie zamierzam pani dotykać! Co to wszystko ma znaczyć?

Wzięła go za rękę i zapytała, czy czuje dotyk jej dłoni. Zniecierpliwiony zapewnił, że wszystko czuje i słyszy każde jej słowo. Po raz czwarty zażądał wyjaśnień — co robiła w szafie, w jego łazience? Zignorowała jego słowa, z zachwytem powtarzając, że to cudowne, iż ją widzi, słyszy i może jej dotknąć. Ale po wyczerpującym dniu Arthur naprawdę nie miał ochoty na żarty.

— Dość tego. To kolejny dowcip mojego wspólnika? Kim pani jest? Jakąś call-girl, upominkiem na noc, przed parapetówką?

— Co za grubianin! Czy wyglądam na dziwkę?

— Nie wygląda pani, ciekawe tylko, dlaczego chowa się pani w mojej szafie o północy?!

— Na razie to pan chodzi na golasa, nie ja!

Arthur aż podskoczył. Chwycił ręcznik, owinął nim biodra i próbował zachować powagę. Wreszcie niemal krzyknął:

— Koniec zabawy, proszę stąd wyjść i grzecznie wracać do domu. A Paulowi może pani powiedzieć, że przesadził. To kiepski kawał!

Nie znała Paula, a jemu radziła zmienić ton. Nie jest przecież głucha i chociaż inni jej nie słyszą, ona słyszy wręcz doskonale. On, zmęczony, wciąż nic z tego nie rozumiał, a przecież właśnie zakończył przeprowadzkę i marzył o odrobinie spokoju. Ona tymczasem wyglądała na bardzo wzburzoną.

— Czy byłaby pani uprzejma zabrać swoje rzeczy i wrócić do domu? A przede wszystkim wyjść z mojej szafy?

— Spokojnie, to nie takie proste, brak mi precyzji, chociaż ostatnio nabrałam nieco wprawy i jest już znacznie lepiej.

— O czym pani mówi?

— Proszę zamknąć oczy, spróbuję...

— Co pani spróbuje?

— Wyjść z szafy, przecież tego pan chciał, prawda? W takim razie proszę zamknąć oczy i zamilknąć na chwilę, muszę się skoncentrować!

— Pani jest wariatką!

— A pan jest niegrzeczny! Proszę być cicho i zamknąć oczy, nie będziemy tu tkwili do rana!

Arthur usłuchał zbity z tropu. Nie minęły dwie sekundy, a usłyszał dobiegający z salonu głos.

— Nieźle, tuż obok kanapy, całkiem nieźle.

Wybiegł z łazienki i zobaczył dziewczynę siedzącą na podłodze na środku pokoju. Zachowywała się jakby nigdy nic.

— Zatrzymał pan dywany, to mi się podoba, ale ten obraz na ścianie jest paskudny.

— Mogę wieszać, co chcę i gdzie chcę, a w tej chwili chciałbym się już położyć, więc skoro nie zamierza mi pani powiedzieć, kim pani jest, przeboleję to, ale proszę się już wynosić! Niech pani idzie do domu!

— Właśnie jestem w domu! A raczej w moim byłym domu. To wszystko jest takie dziwne.

Arthur pokręcił głową. Wynajął to mieszkanie półtora tygodnia temu, więc był u siebie.

— Tak, wiem, jest pan moim lokatorem *post mortem*, znaleźliśmy się w zabawnej sytuacji.

— Opowiada pani jakieś bzdury. Właścicielką mieszkania jest siedemdziesięcioletnia kobieta. Co ma znaczyć „lokator *post mortem*"?

— Dopiero by się ucieszyła, gdyby to usłyszała. Ma sześćdziesiąt dwa lata. To moja matka, a w istniejącej sytuacji — wyznaczona przez sąd opiekunka. Ja jestem faktyczną właścicielką mieszkania.

— Jest pani pod kuratelą?

— Tak, zważywszy na okoliczności, trudno by mi było podpisywać dokumenty.

— Jest pani leczona w szpitalu?

— Owszem, jeśli tak to można nazwać.

— Pewnie się o panią niepokoją. Który to szpital? Odwiozę panią.

— Proszę przyznać — uważa mnie pan za wariatkę, która uciekła z kliniki psychiatrycznej?

— Ależ skąd...

— Wcześniej wziął mnie pan za prostytutkę. Znamy się od paru minut i zaczynam już mieć dość pańskiej nieuprzejmości!

Było mu obojętne, czy jest call-girl, czy autentyczną wariatką. Powiedział, że jest skonany i po prostu chciał się położyć. Zignorowała to wyjaśnienie i podjęła ulubiony temat.

— Jak mnie pan widzi? — zapytała.

— Nie rozumiem.

— Jak wyglądam? Nie widzę swojego odbicia w lustrze, chcę wiedzieć, jak wyglądam.

— Na podenerwowaną, nawet na roztrzęsioną — odparł zniecierpliwiony.

— A fizycznie?

Po chwili namysłu Arthur opisał ją jako wysoką kobietę o bardzo dużych oczach, ładnych ustach i słodkiej twarzy, która absolutnie nie przystaje do takich zachowań. Mówił o szczupłych dłoniach i pełnych gracji ruchach.

— Gdybym zapytała, gdzie jest najbliższa stacja metra, podałby mi pan wszystkie połączenia tej linii?

— Przepraszam, ale nie rozumiem?

— Zawsze tak szczegółowo opisuje pan kobiety?

— Jak pani tu weszła? Ma pani drugie klucze?

— Nie potrzebuję kluczy. Wciąż nie mogę uwierzyć, że pan mnie widzi!

Wracała do tego raz po raz. Uważała, że to cud, iż ktoś ją widzi. Powiedziała, że bardzo jej się spodobał sposób, w jaki ją opisał, i poprosiła, żeby przy niej usiadł.

— To, o czym za chwilę opowiem, trudno zrozumieć, nie sposób w to uwierzyć, jeżeli jednak zechce pan wysłuchać mojej historii, jeżeli zechce mi pan zaufać, może da pan wiarę mym słowom: to dla mnie bardzo ważne, ponieważ nawet nie zdając sobie z tego sprawy, jest pan jedyną osobą na świecie, z którą mogę dzielić mój sekret.

Arthur uświadomił sobie, że nie ma wyboru i że musi wysłuchać opowieści tej kobiety, więc choć marzył o kilku godzinach snu, usiadł obok niej i wysłuchał najbardziej nieprawdopodobnej historii, jaką kiedykolwiek zdarzyło mu się słyszeć.

Nazywała się Lauren Kline i podawała się za lekarkę. Podobno pół roku temu na skutek uszkodzenia układu kierowniczego miała wypadek samochodowy, bardzo poważny wypadek.

— Od tej chwili pozostaję w śpiączce. Nie, proszę nie wyciągać jeszcze żadnych wniosków, zaraz to panu wytłumaczę.

Nie pamiętała przebiegu wypadku. Odzyskała świadomość w sali pooperacyjnej. Doznała wówczas przedziwnych uczuć, słyszała wszystko, co mówili pojawiający się tam ludzie, ale nie mogła się poruszyć ani odezwać. Początkowo sądziła, że to efekt narkozy i działania środków znieczulających.

— Myliłam się, godziny mijały, a ja nie budziłam się ze snu. Postrzegała normalnie, ale nie była w stanie nawiązać kontaktu ze światem zewnętrznym. Przez wiele dni dręczył ją potworny strach, bała się bowiem, że jest całkowicie sparaliżowana.

— Nie wyobraża pan sobie, co przeżyłam. Pozostać do końca życia więźniem własnego ciała...

Z całych sił pragnęła śmierci, ale trudno ze sobą skończyć, kiedy nie można nawet zgiąć palca. Matka czuwała przy jej łóżku. Lauren błagała ją w myślach, aby sięgnęła po poduszkę i udusiła. Potem do pokoju wszedł lekarz i rozpoznała głos swojego profesora. Pani Kline zapytała go, czy córka słyszy, kiedy się do niej mówi, a Fernstein odparł, że nie wie, choć badania wskazują, iż w tego rodzaju przypadkach ludzie odbierają bodźce zewnętrzne i że lepiej bacznie dobierać wypowiadane przy chorej słowa.

Mama chciała się dowiedzieć, czy jeszcze kiedyś do niej wróci. Profesor wyjaśnił spokojnie, że tego również nie wie, że trzeba mieć nadzieję, nie łudząc się na próżno, że zdarzały się przypadki, wprawdzie sporadyczne, wyzdrowienia po wielu miesiącach. Dodał, że nie ma rzeczy niemożliwych, że nie jesteśmy bogami, a nasza wiedza jest niepełna. I dorzucił: Głęboka śpiączka pozostaje dla medycyny zagadką.

O dziwo, Lauren doznała ulgi. Jej ciało nie utraciło zdolności ruchu. Diagnoza nie napawała optymizmem, ale też nie była ostatecznym wyrokiem.

— Tetraplegia jest nieodwracalna. W przypadku śpiączki zawsze pozostaje nadzieja, choćby nikła — stwierdziła Lauren.

Tygodnie mijały powoli, dłużyły się coraz bardziej. Żyła wspomnieniami, myślała o innych miejscach. Pewnej nocy, kiedy wyobrażała sobie, co dzieje się za drzwiami, w korytarzu, którym przechodzą niosące dokumenty albo pchające wózki pielęgniarki, jej koledzy zaglądający do pokoi chorych...

— Wtedy zdarzyło się to po raz pierwszy, znalazłam się w korytarzu, o którym tak usilnie myślałam. W pierwszej chwili byłam przekonana, że wyobraźnia płata mi figle. Przecież doskonale znałam to miejsce, pracowałam w tym szpitalu. Ale wszystko wyglądało tak realistycznie. Widziałam mijające mnie pielęgniarki, Betty otworzyła jedną z szaf, wyjęła opatrunki, zamknęła szafę, Stephan szedł, pocierając czoło. Ciągle to robi, nie może pozbyć się tego nawyku.

Usłyszała, jak otwierają się drzwi windy, poczuła zapach posiłku, który dostarczono dyżurującym pracownikom. Nikt jej nie zauważał, ludzie chodzili wokół, nikt nie starał się jej ominąć, nikt nie domyślał się jej obecności. Kiedy poczuła zmęczenie, powróciła do ciała.

Przez najbliższe dni uczyła się wędrować po szpitalu. Wystarczyło, że pomyślała o stołówce, a już tam była, przywołała wspomnienie izby przyjęć i — bingo! — trafiała tam natychmiast. Po trzech miesiącach ćwiczeń mogła wyjść poza obręb szpitala. Kiedyś towarzyszyła francuskiemu małżeństwu, które wybrało się do jednej z jej ulubionych restauracji, innym razem obejrzała w kinie pół filmu, potem spędziła kilka godzin w mieszkaniu matki. Więcej się tam nie wybrałam, westchnęła, zbyt ciężko być tak blisko niej i nie móc nawiązać kontaktu. W dodatku Kali wyczuwała jej obecność i wierciła się jak oszalała, skamląc. Lauren nie była w stanie tego znieść. Przyszła tu, w końcu to był jej dom, i tu czuła się najlepiej.

— Żyję w całkowitej samotności. Nawet pan sobie nie wyobraża, jak ciężko nie móc do nikogo przemówić, być całkowicie przezroczystą, nie istnieć w niczyim życiu. Rozumie pan chyba, jak poczułam się zaskoczona i podniecona, kiedy zwrócił się pan do mnie, zobaczywszy mnie w szafie. Nie wiem, dlaczego właśnie pan widzi mnie i słyszy, ale pragnę, by to trwało. Mogłabym mówić całymi godzinami, tak bardzo tego potrzebuję, tysiące zdań cisną mi się na usta.

Mimo to zamilkła na krótką chwilę. Ujrzał łzy w kącikach jej oczu. Patrzyła na niego. Otarła dłonią policzki i nos.

— Pewnie uważa mnie pan za wariatkę?

Arthur uspokoił się, wzruszony tonem głosu dziewczyny, ujęty niewiarygodną opowieścią, której wysłuchał.

— Nie, to wszystko jest... jak by to powiedzieć... takie wstrząsające, zaskakujące, niezwykłe. Nie wiem, jak mam się zachować. Chciałbym pani pomóc, ale nie mam pojęcia, co robić.

— Niech mi pan pozwoli zostać, zrobię się całkiem malutka, nie będę panu przeszkadzała.

— Naprawdę wierzy pani w to, co mi pani opowiedziała?

— A pan nie uwierzył nawet w jedno słowo? I pewnie pan sądzi, że stoi pan twarzą w twarz z dziewczyną, której pomieszało się w głowie? Od początku znajdowałam się na straconej pozycji.

Prosił, żeby postawiła się na jego miejscu. Co by pomyślała, znalazłszy o północy w szafie łazienkowej podenerwowanego faceta, który próbowałby jej wmówić, że jest czymś w rodzaju ducha, że jego ciało leży w szpitalu, bo zapadł w śpiączkę. Jaka byłaby jej pierwsza reakcja?

Twarz Lauren nieco się rozpogodziła, zagościł na niej cień uśmiechu przez łzy. W końcu przyznała, że pewnie zaczęłaby wrzeszczeć, i stwierdziła, że istnieją okoliczności łagodzące dla jego postępowania. Podziękował jej za zrozumienie.

— Błagam cię, Arthurze, uwierz mi. Nikt nie wymyśliłby czegoś takiego.

— Owszem, mój wspólnik byłby zdolny do takiego dowcipu.

— W takim razie zapomnij o nim. Twój wspólnik nie ma z tym nic wspólnego, a ja nie żartuję.

Kiedy zapytał, skąd zna jego imię, odparła, że kiedy się wprowadzał, ona bywała tu już od dawna. Obserwowała go, gdy oglądał mieszkanie i podpisywał na kuchennym blacie umowę z agentem biura nieruchomości. Była także świadkiem wnoszenia kartonów, widziała, jak przy rozpakowywaniu zniszczył model samolotu. Szczerze mówiąc, chociaż było jej przykro, że poniósł stratę, śmiała się, kiedy się złościł. Przypatrywała się też, jak wieszał nad łóżkiem ten banalny obraz.

— Jesteś pedantem, dwadzieścia razy przesuwasz kanapę, żeby wreszcie ustawić ją w jedynym właściwym miejscu. Chciałam ci to podszepnąć, sprawa była tak oczywista. Jestem tu z tobą od pierwszego dnia. Przez cały czas.

— Także wtedy, kiedy biorę prysznic albo leżę w łóżku?

— Nie jestem podglądaczką. Choć muszę przyznać, że jesteś całkiem nieźle zbudowany, pomijając fałdki tłuszczu i brzuszek. Powinieneś się za siebie wziąć. Ale i tak jesteś przystojny.

Arthur zmarszczył brwi. Była bardzo przekonująca, czy może mocno przekonana, jednak wciąż nie potrafił się w tym wszystkim połapać. Jej opowieści nie trzymały się kupy. Skoro chce, może wierzyć we własne zmyślenia, nie miał powodu przekonywać jej, że to stek bzdur, od tego są psychiatrzy. Chciał się przespać, więc w końcu zaproponował, żeby została na noc. On zadowoli się kanapą w salonie, tą, „dla której z takim trudem znalazł najwłaściwsze miejsce", ona może zająć sypialnię. Jutro wróci do siebie, do szpitala, czy dokądkolwiek zechce i ich drogi się rozejdą. Ale Lauren nie zgodziła się na to. Stanęła przed nim wyraźnie urażona i zdeterminowana. Uparła się, że go przekona. Jednym tchem wymieniła szereg faktów z jego życia, wydarzeń i zachowań z ostatnich kilku dni. Przytoczyła rozmowę telefoniczną z Carol-Ann, której przed dwoma dniami około jedenastej powiedział parę niemiłych słów.

— Rzuciła słuchawką, kiedy wygłosiłeś mowę, nawiasem mówiąc, piekielnie pompatyczną, informując ją, dlaczego nie chcesz już mieć z nią nic wspólnego. Musisz mi uwierzyć!

Przypomniała o dwóch filiżankach, które potłukł, rozpakowując kartony. *Musisz mi uwierzyć!* O tym, jak zaspał i oparzył się pod prysznicem. *Musisz mi uwierzyć!* Jak szukał kluczyków do samochodu, złoszcząc się na siebie. *Psiakrew, musisz mi uwierzyć!* Wydawał się wtedy bardzo roztargniony, bo kluczyki leżały spokojnie na stoliku w przedpokoju. We wtorek musiał pół godziny czekać na pracowników telekomunikacji, którzy pojawili się dopiero o siedemnastej.

— A jedząc kanapkę z pastrami, poplamiłeś marynarkę i przed powrotem do biura musiałeś się przebrać. *Czy teraz mi wierzysz?*

— Szpiegujesz mnie od kilku dni. Powiedz dlaczego?

— Jak miałabym cię szpiegować? To nie Watergate! Tu nie ma ani podsłuchu, ani ukrytych wszędzie kamer!

— Dlaczego nie! Wydaje mi się to bardziej prawdopodobne od twojej opowieści!

— Weź kluczyki do samochodu!

— Mogę wiedzieć, dokąd jedziemy?

— Do szpitala. Musisz mnie zobaczyć.

— Oczywiście! Dochodzi pierwsza w nocy, nic prostszego, niż wybrać się teraz do szpitala, na drugi koniec miasta, i poprosić dyżurną pielęgniarkę, żeby niezwłocznie wskazała mi pokój chorej, której nie znam. Wyjaśnię, że duch tej nieznajomej wprowadził się do mnie, a ja chciałbym pospać, tymczasem zjawa jest piekielnie uparta i nie zostawi mnie w spokoju, póki nie odwiedzę jej cielesnej powłoki. To jedyny sposób.

— Masz inny?

— Co?

— Sposób. Chyba mi nie powiesz, że zdołałbyś teraz usnąć?

— Boże, co ja ci zrobiłem? Dlaczego zsyłasz to właśnie na mnie?

— Nie wierzysz w Boga, powiedziałeś to, rozmawiając ze wspólnikiem o jakimś kontrakcie: „Paul, nie wierzę w Boga. Jeżeli dostaniemy to zamówienie, to wyłącznie dlatego, że jesteśmy najlepsi, w przeciwnym razie trzeba będzie wyciągnąć wnioski i zweryfikować dotychczasowy sposób działania". Chociaż na pięć minut podaj w wątpliwość swoją opinię o mnie! O nic więcej nie proszę. Uwierz mi! Potrzebuję cię, jesteś jedyną osobą na świecie...

Arthur podniósł słuchawkę i wybrał numer wspólnika.

— Obudziłem cię?

— Skądże znowu, jest dopiero pierwsza w nocy, a ja czekałem na twój telefon i dlatego się nie kładłem — odparł Paul.

— Dlaczego? Czyżbym miał dzwonić?

— Do cholery! Nie czekałem na twój telefon. Jasne, że mnie obudziłeś. Czego chcesz o tej porze?

— Żebyś z kimś pomówił. Przedtem powiem ci tylko, że robisz coraz głupsze kawały.

Arthur podał słuchawkę Lauren i poprosił, żeby pomówiła z jego wspólnikiem. Ale ona nie mogła wziąć słuchawki do ręki, tłumaczyła mu, że niczego nie potrafi chwycić. Poirytowany oczekiwaniem Paul pytał Arthura, z kim gawędzi. Arthur uśmiechnął się triumfalnie i wcisnął przycisk „głośnik".

— Paul, słyszysz mnie?

— Owszem, aż za dobrze. Powiedz, co to za zabawa? Jestem śpiący.

— To zupełnie jak ja. Zamknij się na chwilę. Odezwij się do niego, Lauren! Powiedz coś!

Wzruszyła ramionami.

— Jak chcesz. Dobry wieczór. Najprawdopodobniej pan mnie nie słyszy, ale pana wspólnik nie chce w to uwierzyć.

— Arthurze, skoro nie masz mi nic do powiedzenia, nie wydzwaniaj po nocy.

— Odpowiedz jej.

— Komu?

— Osobie, która do ciebie mówiła.

— Ty jesteś tą osobą i odpowiadam na każde twoje słowo.

— Nikogo innego nie słyszałeś?

— Powiedz, Joanno d'Arc, czy to tylko przemęczenie?

Lauren spoglądała na niego z pobłażaniem.

Arthur pokręcił głową. Jeżeli tych dwoje było w zmowie, tak szybko się nie zdradzą. Z głośnika dobiegł ich głos Paula, który raz jeszcze pytał kolegę, z kim rozmawia. Arthur poprosił, żeby wybaczył mu tak późny telefon i by zapomniał o całej rozmowie. Paul chciał się jednak upewnić, czy wszystko jest w porządku, czy nie powinien może w czymś pomóc, przyjechać. Ale Arthur podziękował i uspokoił go, powtarzając, że naprawdę nic się nie stało.

— W porządku, stary, budź mnie, kiedy tylko zechcesz, i opowiadaj bzdury. Nie krępuj się, jesteśmy wspólnikami na dobre i na złe. Kiedy będziesz w dołku, obudź mnie i wylej wszelkie żale. Mogę już wracać do łóżka czy chcesz jeszcze pogawędzić?

— Dobranoc, Paul.

I rozłączyli się.

— Jedźmy do szpitala. Moglibyśmy już tam być.

— Ani mi się śni jechać tam z tobą. Przekraczając próg mieszkania, uwiarygodniłbym tę absurdalną historyjkę. Jestem zmęczony i zamierzam się położyć. Sypialnia jest twoja. Ja prześpię się na kanapie. Jeżeli ci to nie odpowiada, wyjdź. To moje ostatnie słowo.

— Trafiła kosa na kamień! Idź do sypialni, nie potrzebuję łóżka.

— Co zamierzasz robić?

— Czy to ważne?

— Dla mnie tak.

— Posiedzę w salonie.

— Do jutra rana, a potem...

— Do jutra rana, dziękuję za łaskawą gościnność.

— Nie przyjdziesz do sypialni, żeby mnie szpiegować?

— Skoro nie wierzysz w moją opowieść, po prostu zamknij drzwi na klucz, a jeżeli chodzi o to, że sypiasz nago, to pamiętaj, że już cię widziałam!

— Podobno nie jesteś podglądaczką?

Przypomniała mu, że kiedy się poznali w łazience, tylko ślepota mogła uchronić ją przed widokiem jego nagości. Poczerwieniał i wymamrotał:

— Dobranoc.

— Właśnie, dobrej nocy, Arthurze, przyjemnych snów.

Drzwi sypialni zamknęły się z trzaskiem. To jakaś wariatka, mruczał pod nosem. Co za idiotyczna historia! Wyciągnął się na łóżku. Zielone cyfry budzika wskazywały pierwszą trzydzieści. Obserwował, jak się zmieniały do drugiej jedenaście. Wyskoczył z łóżka, włożył gruby sweter i dżinsy, wciągnął skarpetki i jak wicher wpadł do salonu. Lauren siedziała po turecku na parapecie. Kiedy wszedł, powiedziała, nie odwracając się:

— Lubię ten widok. A ty? Dlatego kupiłam to mieszkanie. Lubię patrzeć na most, lubię siedzieć latem przy otwartym oknie, słuchając syren okrętowych. Zawsze chciałam policzyć fale, które rozbijają się o burtę, nim statek minie Golden Gate.

— Jedziemy — oświadczył krótko, nie podejmując rozmowy o krajobrazie.

— Naprawdę? Skąd ta nagła decyzja?

— Przez ciebie zarwałem już kawał nocy, więc wolałbym zamknąć tę sprawę jeszcze dziś. Jutro muszę zająć się pracą. Jestem umówiony z klientem na obiad, chciałbym pospać przynajmniej dwie godziny. Jedźmy teraz. Możesz się pospieszyć?

— Idź, zaraz tam będę.

— Gdzie?

— Po prostu będę, przecież powiedziałam. Zaufaj mi choć przez chwilę.

Uważał, że i tak darzy ją przesadnym zaufaniem. Przed wyjściem zapytał raz jeszcze o jej nazwisko. Podała mu również piętro i numer pokoju, w którym leżała — sala 505 na piątym piętrze. Dodała, że to proste. Ale jemu cała ta sytuacja wydawała się bardzo trudna. Zamknął za sobą drzwi i schodami dotarł do garażu. Lauren czekała już w samochodzie, na tylnym siedzeniu.

— Nie wiem, jak to zrobiłaś, ale to świetny numer. Pewnie pracowałaś z Houdinim?

— Z kim?

— Z Houdinim, takim prestidigitatorem.

— Jesteś dobrze zorientowany!

— Usiądź z przodu, nie jestem twoim szoferem.

— Zdobądź się na odrobinę wyrozumiałości, już ci mówiłam, że brakuje mi wprawy. Usiadłam z tyłu, uważam, że to całkiem nieźle, bo mogłam wylądować na masce. Ale skoncentrowałam się na wnętrzu wozu. Naprawdę robię postępy. Lauren zajęła miejsce obok kierowcy. Zapadła cisza. Ona wyglądała przez okno, on prowadził auto. Po chwili zaczął pytać, jak powinien zachować się w szpitalu. Poradziła, żeby podał się za jej mieszkającego w Meksyku kuzyna, który dowiedziawszy się o wypadku, spędził w podróży cały dzień i noc. Wczesnym rankiem wylatywał do Anglii, gdzie miał pozostać przez najbliższe pół roku, dlatego, chociaż zdaje sobie sprawę, że wizyta o tej porze jest sprzeczna z regulaminem, prosi, by pozwolono mu choć na chwilę zajrzeć do ukochanej kuzynki. Arthur stwierdził, że nie wygląda na południowca i że nikt nie uwierzy w tę bajeczkę.

Lauren zganiła go za negatywne nastawienie i zasugerowała, żeby w takim razie wybrali się do szpitala nazajutrz. Nie musi się niepokoić. Owszem, niepokoił się, każdego zaniepokoiłyby jej pomysły i opowieści. Saab wjechał na teren szpitala. Lauren kazała Arthurowi skręcić w prawo, potem wjechać w drugą alejkę po lewej i zaparkować pod srebrnym świerkiem. Następnie wskazała palcem dzwonek i poradziła, żeby nie naciskał go zbyt długo, bo to je drażni.

— Kogo? — zapytał.

— Pielęgniarki, które często muszą dochodzić do drzwi z drugiego końca korytarza, a nie posiadły sztuki teleportacji. Obudź się wreszcie...

— Bardzo bym chciał — wyszeptał.

5

Arthur wysiadł z samochodu i dwukrotnie przycisnął lekko dzwonek. Otworzyła mu niska kobieta, której oczy spoglądały zza szkieł w rogowej oprawie. Uchyliwszy drzwi, zapytała o cel wizyty. Starał się być przekonywający, ale pielęgniarka poinformowała, że w szpitalu obowiązuje regulamin, który został ustalony nie po to, by go łamać, i najlepiej będzie, jeśli odłoży wyjazd, a kuzynkę odwiedzi nazajutrz.

Błagał, przypominał, że każda reguła ma wyjątki, aż wreszcie, gdy zrezygnowany zamierzał pogodzić się z porażką, pielęgniarka złagodniała, spojrzała na zegarek i rzekła:

— Muszę zrobić obchód, niech pan idzie ze mną, ale proszę niczego nie dotykać i nie hałasować. Za kwadrans ma tu pana nie być.

Ujął ją za rękę i ucałował w podzięce.

— To meksykański zwyczaj? — zapytała, uśmiechając się z lekka. Wpuściła go do budynku i poprowadziła korytarzami. Wsiedli do windy i wjechali na piąte piętro.

— Zaprowadzę pana do jej pokoju, zrobię obchód i wrócę po pana. Proszę niczego nie dotykać.

Otworzyła drzwi pokoju 505, gdzie panował półmrok. W świetle lampki nocnej widać było sylwetkę leżącej w łóżku kobiety, która zdawała się głęboko spać. Stojąc w drzwiach,

Arthur nie mógł przyjrzeć się twarzy chorej. Pielęgniarka mówiła półgłosem:

— Nie zamykam. Proszę wejść, na pewno się nie obudzi, ale niech pan uważa na każde wypowiadane tu słowo. Z pacjentami w śpiączce nigdy nic nie wiadomo, tak przynajmniej twierdzą lekarze, ja mam na ten temat własne zdanie.

Arthur skradał się jak lis. Lauren stała przy oknie i zachęcała, by się do niej zbliżył.

— Podejdź, nie ugryzę cię.

Co ja tu właściwie robię?, powtarzał w duchu. Podszedł do łóżka i przyglądał się. Podobieństwo było uderzające. Nieruchoma kobieta miała cerę bledszą od cery swego uśmiechniętego sobowtóra, poza tym szczegółem nic ich jednak nie różniło. Cofnął się o krok.

— To niemożliwe! Jesteście bliźniaczkami?

— Doprowadzasz mnie do rozpaczy! Nie mam siostry. To ja tu leżę. To naprawdę ja. Pomóż mi, spróbuj uwierzyć w niewiarygodne. Nie padłeś ofiarą głupiego kawału ani oszustwa i nie śpisz. Arthurze, mam tylko ciebie, musisz mi uwierzyć, nie odwracaj się do mnie plecami. Potrzebuję twojej pomocy, poza tobą od pół roku nie mam na tym świecie nikogo, z kim mogłabym pomówić, ty jeden spośród ludzi czujesz moją obecność i słyszysz mój głos.

— Dlaczego właśnie ja?

— Nie mam pojęcia, to wszystko jest takie dziwne.

— „To wszystko" jest przerażające.

— Myślisz, że ja się nie boję?

Strachem mogłaby obdzielić całe miasto. Przypatrywała się własnemu ciału, które więdło z dnia na dzień jak roślina, uzależnione od kroplówek i cewników. Nie znała odpowiedzi na pytania, które nurtowały Arthura, ani na te, które sama zadawała sobie od dnia wypadku. Dręczą mnie problemy, o których nawet nie śniłeś, wyznała. Ze smutkiem w oczach dzieliła się z nim wątpliwościami i obawami: jak długo potrwa ta zagadkowa sytuacja? Czy dane jej będzie choćby tylko kilka dni życia normalnej kobiety, która porusza się jak inni, która może przytulić do siebie kochane osoby? Czy warto było poświęcić tyle lat na studia medyczne, żeby skończyć w ten sposób? Ile dni wytrzyma jeszcze jej serce? Wyobrażała sobie, jak umiera, i oblatywał ją strach. Jestem zjawą i człowiekiem zarazem, Arthurze. Spuścił oczy, unikając jej spojrzenia.

— Żeby umrzeć, trzeba odejść, a ty jeszcze tu jesteś. Chodź, czas wracać do domu. Oboje jesteśmy zmęczeni. Zabieram cię stąd.

Objął ją ramieniem i przytulił, jakby chciał pocieszyć. Odwróciwszy się, stanął twarzą w twarz z pielęgniarką, która dziwnie mu się przyglądała.

— Złapał pana kurcz?

— Nie, skądże...

— A ta uniesiona ręka i przykurczona dłoń?

Arthur błyskawicznie opuścił rękę, niemal odpychając Lauren.

— Nie widzi jej pani? — zapytał.

— Kogo?

— Nikogo!

— Może powinien pan odpocząć przed wyjściem? Kiepsko pan wygląda.

Pielęgniarka chciała go uspokoić. To zawsze wywołuje szok, powtarzała, to zupełnie normalne, to minie. Arthur mówił bardzo wolno, jakby z najwyższym trudem dobierał słowa:

— Nie, wszystko w porządku, lepiej już pójdę.

Zapytała, czy na pewno trafi do wyjścia. Już się pozbierał, zapewnił, że doskonale pamięta drogę.

— W takim razie wrócę do pracy, muszę zmienić pościel w sąsiednim pokoju. Zdarzył nam się drobny wypadek.

Arthur pożegnał ją i odszedł. Pielęgniarka widziała jeszcze, jak znów wyciąga rękę i szepce: Wierzę ci, Lauren, wierzę ci. Zmarszczyła brwi i weszła do pokoju sąsiadującego z salą 505. Och, niektórym trudno to znieść, aż żal patrzeć, westchnęła. A oni tymczasem zniknęli w windzie. Arthur wbił oczy w ziemię. Milczał, podobnie jak Lauren. Opuścili szpital. Północny wiatr znad zatoki przyniósł drobny, zacinający deszcz. Na dworze panował przejmujący chłód. Arthur postawił kołnierz płaszcza, osłaniając nim twarz, i szybko otworzył drzwi po stronie pasażera.

— Proszę cię, skończ z tym przenikaniem przez ściany, zamiast się popisywać, postępuj jak wszyscy.

Wsiadła do samochodu jak najzwyklejsza dziewczyna i uśmiechnęła się do niego.

W drodze powrotnej żadne z nich nie odezwało się ani słowem. Arthur skupił się na jeździe, Lauren wpatrywała się w chmury. Dopiero przed domem, nie odrywając oczu od nieba, zaczęła mówić:

— Tak bardzo lubiłam noce, ciszę, sylwetki bez towarzyszących im cieni, spojrzenia, jakich nie widuje się we dnie. Jakby miastem władały dwa światy, nieznające się, nieświadome bliskiego sąsiedztwa. Tyle istot ludzkich pojawia się o zmroku, by zniknąć o świcie. Znamy ich tylko my, w szpitalach.

— Mimo wszystko to zwariowana historia. Sama przyznasz, że trudno w to uwierzyć.

— Owszem, ale chyba nie będziemy wciąż nad tym rozmyślać i wałkować tego przez resztę nocy?

— Z mojej nocy niewiele już zostało!

— Zaparkuj, będę na górze.

Arthur zaparkował przed domem, żeby zgrzyt drzwi garażu nie obudził sąsiadów. Wbiegł po schodach i wszedł do mieszkania. Lauren siedziała po turecku w salonie.

— Celowałaś w kanapę? — zapytał rozbawiony.

— Nie, celowałam w dywan i trafiłam w dziesiątkę.

— Kłamczucha, wiem, że chciałaś wylądować na kanapie.

— Powtarzam, że celowałam w dywan!

— Jesteś marną aktorką!

— Chciałam zaparzyć ci herbatę, ale... Powinieneś się położyć, zostało ci niewiele czasu na sen.

Zapytał jeszcze o okoliczności wypadku, a ona opowiedziała

mu o kaprysie „starego anglika", swego ulubionego triumpha, o weekendowej wyprawie do Carmelu w pierwszych dniach minionego lata i jej niefortunnym zakończeniu na Union Square. Nie wiedziała, co się stało.

— A twój chłopak?

— Co mój chłopak?

— Jechałaś do niego?

— Zadaj wreszcie pytanie, które chodzi ci po głowie — powiedziała z uśmiechem. — To pytanie brzmi: Czy masz chłopaka?

— Czy miałaś chłopaka? — zapytał Arthur.

— Dziękuję za czas przeszły. Owszem, zdarzyło mi się to.

— Nie odpowiedziałaś.

— Obchodzi cię to?

— Właściwie nie, w końcu to nie moja sprawa.

Arthur odwrócił się na pięcie i ruszył w kierunku sypialni. Potem jeszcze raz zaoferował Lauren wygodne łóżko, dla siebie przeznaczając kanapę w salonie. Podziękowała za uprzejmość, ale kanapa całkowicie jej wystarczała. Kładąc się, był zbyt zmęczony, żeby zastanawiać się nad następstwami tego wieczoru, mogli pomówić o tym nazajutrz. Zanim zamknął drzwi, powiedział jej jeszcze dobranoc, a ona poprosiła o ostatnią dziś przysługę:

— Mógłbyś pocałować mnie w policzek?

Arthur przechylił głowę, spojrzał na nią pytająco.

— Wyglądasz teraz jak dziesięcioletni chłopiec, przecież proszę tylko, żebyś cmoknął mnie w policzek. Od pół roku nikt mnie nie przytulił.

Zawrócił, podszedł do niej i pocałował w oba policzki. Lauren wsparła głowę na jego ramieniu. Arthur czuł się niezręczny i całkowicie rozbrojony. Niezgrabnym gestem objął jej szczupłe biodra, a ona wtuliła głowę w jego piersi.

— Dziękuję, Arthurze, dziękuję za wszystko. Ale teraz idź już spać, musisz trochę odpocząć. Obudzę cię.

Arthur wszedł do sypialni, zdjął sweter i koszulę, rzucił spodnie na krzesło i wśliznął się pod kołdrę. Po kilku minutach mocno spał. Wtedy Lauren, która została w salonie, zamknęła oczy, skoncentrowała się i utrzymując dość niepewnie równowagę, wylądowała na oparciu fotela na wprost łóżka. Przypatrywała się śpiącemu mężczyźnie. Twarz Arthura była pogodna, w kącikach ust błąkał się nawet lekki uśmiech. Lauren siedziała tak przez długą chwilę, w końcu jednak i ją zmorzył sen. Zdarzyło się to po raz pierwszy od dnia wypadku.

Kiedy się ocknęła, koło dziesiątej rano, on wciąż smacznie spał.

— Psiakość! — wrzasnęła na cały głos. Usiadła przy łóżku i mocno nim potrząsnęła. — Obudź się, jest już bardzo późno.

Arthur przewrócił się na drugi bok, mrucząc pod nosem.

— Nie wrzeszcz, Carol-Ann.

— Bądź miły, otwórz oczy, czas wstawać. To nie Carol-Ann, poza tym jest pięć po dziesiątej.

Powoli otworzył oczy, ale zaraz potem wytrzeszczył je i poderwał się jak oparzony.

— Doznałeś przykrego rozczarowania? — zapytała.

— Naprawdę tu jesteś, to nie był po prostu sen?

— Mogłeś sobie darować tę uwagę, zresztą spodziewałam się czegoś w tym rodzaju. Lepiej się pospiesz, już po dziesiątej.

— Co takiego?! — teraz on wrzasnął. — Przecież miałaś mnie obudzić!

— Czy Carol-Ann była głucha? Ja w każdym razie mam dobry słuch. Przepraszam, zasnęłam, chociaż nie zdarzyło mi się to, odkąd leżę w szpitalu. Miałam nadzieję, że razem uczcimy tę moją pierwszą noc, ale chyba nie jesteś w nastroju. Szykuj się do wyjścia.

— Daruj sobie ten zjadliwy ton, przez ciebie zarwałem noc, nie musisz psuć mi poranka. Uspokój się!

— Czy rano zawsze jesteś taki czarujący? Wolę cię, kiedy śpisz!

— W dodatku urządzasz mi scenę?

— Rozmarzyłeś się. Ubieraj się, bo znowu powiesz, że to wszystko przeze mnie.

— Pewnie, że przez ciebie. Bądź tak miła i wyjdź, bo jestem goły.

— Zrobiłeś się wstydliwy?

Poradził, żeby oszczędziła mu małżeńskiej sceny tuż po przebudzeniu, i dość niefortunnie zakończył zdanie pogróżką: „bo jeśli nie, to...".

— Po „jeśli nie, to..." często pada słowo, które nie powinno było paść — zripostowała. I życząc mu udanego dnia tonem, w którym pobrzmiewało wszystko prócz życzliwości, zniknęła. Arthur rozejrzał się wokół, zawahał, po czym zawołał:

— Lauren? Dość tego, wiem, że tu jesteś. Naprawdę masz podły charakter. Wyjdź, pokaż się, starczy już tych wygłupów.

Kiedy tak gestykulował, stojąc nago na środku salonu, uchwycił spojrzenie sąsiada z przeciwka, obserwującego z wyraźnym zdumieniem całą tę scenę przez okno. Podbiegł do kanapy, chwycił pled, owinął się nim i popędził do łazienki, mamrocząc: Biegam goły po salonie, spóźniam się do pracy jak nigdy dotąd, a w dodatku gadam do siebie! To jakiś obłęd!

Po wejściu do łazienki uchylił drzwi szafy i zapytał łagodnie:

— Jesteś tu, Lauren?

Brak odpowiedzi okazał się dla niego przykrym rozczarowaniem. Błyskawicznie wziął prysznic. Potem, wybiegając z łazienki, powtórzył próbę z szafą, ale wciąż panowała cisza. W pośpiechu włożył garnitur, jednak wiązanie krawata szło mu dziś wyjątkowo opornie. Przy trzeciej próbie zaklął: Mam dziś dwie lewe ręce! Ubrany wszedł do kuchni, w poszukiwaniu kluczy przetrząsnął wszystko, co znajdowało się na blacie, i w końcu znalazł je w kieszeni. Niemal wybiegł z mieszkania, nagle stanął, zawrócił i otworzył drzwi:

— Lauren, wciąż cię nie ma?

Odczekał parę sekund i obrócił klucz w zamku. Zbiegł wewnętrznymi schodami do garażu i wtedy przypomniał sobie, że zaparkował na zewnątrz, więc zawrócił do głównego wyjścia i w końcu znalazł się na ulicy. Gdy spojrzał w górę, jego sąsiad z przeciwka ciągle przyglądał mu się podejrzliwie. Arthur uśmiechnął się do niego z zażenowaniem, przez moment nie mógł trafić kluczem w dziurkę, a kiedy już zdołał otworzyć samochód, ruszył z piskiem opon. Wchodząc do biura, natknął się w hallu na wspólnika, który na jego widok pokiwał głową i z lekkim grymasem na twarzy skonstatował:

— Powinieneś chyba wyjechać na kilka dni.

— Paul, zajmij się wszystkim i nie zawracaj mi dziś głowy.

— Jesteś niezwykle łaskawy i uprzejmy.

— Znowu zaczynasz?

— Widziałeś się z Carol-Ann?

— Nie, nie widziałem się z nią. Dobrze wiesz, że zerwaliśmy ze sobą.

— Do takiego stanu mogła cię doprowadzić tylko Carol--Ann. A może jest ktoś inny?

— Nie ma nikogo innego. Przepuść mnie, i tak już się spóźniłem.

— Żartujesz, przecież dopiero za kwadrans jedenasta! Jak jej na imię?

— Komu?

— Przeglądałeś się dziś w lustrze?

— Coś ze mną nie tak?

— Najwyraźniej spędziłeś tę noc z mocno odlotową babką! Opowiadaj!

— Nie ma o czym.

— A ten telefon w środku nocy i jakieś dziwaczne historie? Z kim byłeś?

Arthur spojrzał wspólnikowi w oczy.

— Posłuchaj, zjadłem wieczorem jakieś paskudztwo, całą noc dręczyły mnie koszmary, prawie nie spałem. Daruj, ale jestem w kiepskim nastroju. Puść mnie, naprawdę jest już potwornie późno.

Paul odsunął się nieco i poklepawszy przechodzącego Arthura po ramieniu, powiedział:

— Wiesz, że jestem twoim przyjacielem? — Na te słowa

49

Arthur odwrócił się, a Paul dodał: — Powiedziałbyś mi, gdybyś miał kłopoty?

— Co cię napadło? Po prostu się nie wyspałem, nie rób z igły wideł!

— W porządku, w porządku. Spotkanie mamy o pierwszej, umówiłem się z nimi w Hyatt Embarcadero, jeżeli chcesz, pojedziemy razem, a ja potem wrócę do biura.

— Nie, pojadę swoim samochodem, jestem później jeszcze gdzieś umówiony.

— Jak chcesz!

Arthur wszedł do gabinetu, odstawił teczkę i usiadł, poprosił asystentkę o filiżankę kawy, wprawił w ruch fotel obrotowy i siedząc twarzą do okna, odchylił głowę do tyłu. Rozmyślał.

Chwilę potem Maureen zapukała do drzwi i weszła do pokoju z dokumentami w jednej, a filiżanką i leżącym na brzegu spodka pączkiem w drugiej ręce. Postawiła dymiący napój na stoliku.

— Dolałam mleka, bo pewnie jeszcze nie pił pan kawy.

— Dziękuję, Maureen. Naprawdę tak kiepsko dziś wyglądam?

— Po prostu zdaje się pan mówić: „Nie zdążyłem jeszcze wypić kawy".

— Fakt, nie zdążyłem jeszcze wypić kawy!

— Było kilka telefonów, ale to nic pilnego. Proszę spokojnie zjeść śniadanie. Zostawię listy do podpisania. Dobrze się pan czuje?

— Tak. Jestem tylko bardzo zmęczony.

Właśnie w tym momencie w pokoju pojawiła się Lauren. Zamierzała przysiąść na brzegu biurka, ale nie trafiła. Na chwilę zniknęła Arthurowi z oczu, lądując na dywanie. Poderwał się na równe nogi:

— Nic ci się nie stało?

— Nie, wszystko w porządku — uspokoiła go.

— Co miałoby mi się stać? — zdziwiła się Maureen.

— Nie mówiłem do pani — odparł Arthur.

Maureen rozejrzała się po pokoju.

— Nie ma tu zbyt wielu osób.

— Głośno myślałem.

— Pomyślał pan głośno, że coś mi się stało, tak?

— Ależ skąd, myślałem o kimś innym i głośno wypowiedziałem kilka słów. Nigdy się to pani nie zdarzyło?

*

Lauren usiadła po turecku na stole. Postanowiła skarcić Arthura:

— Nie musisz od razu porównywać mnie do nocnego koszmaru! — powiedziała.

— Nie nazwałem cię koszmarem.

— Tego by tylko brakowało! Myśli pan, że tak łatwo o koszmar, który podaje kawę z mlekiem? — odezwała się urażona Maureen.

— Maureen, przecież nic do pani nie mówiłem!

— Albo w tym pokoju jest duch, albo cierpię na częściową ślepotę i coś mi umyka.

— Przepraszam, to naprawdę żałosne, moje zachowanie jest żałosne. Ze zmęczenia zaczynam mówić do siebie, myślami jestem daleko stąd.

Maureen zapytała, czy słyszał o syndromie zmęczenia i związanej z nim depresji.

— Powinien pan pamiętać, że trzeba reagować na pierwsze symptomy, bo inaczej leczenie może trwać wiele miesięcy.

— Maureen, to nie jest depresja wywołana przemęczeniem, po prostu miałem okropną noc.

Lauren wpadła mu w słowo:

— Proszę, proszę, okropna noc, koszmar.

— Przestań wreszcie, daj mi chociaż chwilę spokoju.

— Przecież nawet się nie odezwałam! — obruszyła się Maureen.

— Proszę zostawić mnie samego, Maureen. Muszę się skupić. Chwila relaksu i wszystko wróci do normy.

— Zamierza się pan relaksować? Lękam się o pana, bardzo się lękam.

— Naprawdę niepotrzebnie.

Poprosił, żeby wyszła i nie łączyła żadnych rozmów. Potrzebował odrobiny spokoju. Maureen niechętnie zostawiła go samego i zamknęła drzwi do gabinetu. W hallu natknęła się na Paula. Poprosiła go o krótką rozmowę w cztery oczy.

Po jej wyjściu Arthur zmierzył Lauren wzrokiem.

— Nie możesz pojawiać się tak nagle, stawiasz mnie w idiotycznej sytuacji.

— Chciałam przeprosić za dzisiejszy ranek. Byłam nieznośna.

— To moja wina, miałem paskudny nastrój.

— Nie traćmy przedpołudnia na wzajemne przeprosiny. Chciałam z tobą pogadać.

Paul wszedł do gabinetu, nie pukając.

— Możemy zamienić dwa słowa?

— Skoro zacząłeś, mów dalej!

— Rozmawiałem z Maureen. Co ci jest?

— Zostawcie mnie w spokoju to, że zdarzyło mi się spóźnić i że jestem zmęczony, wcale nie oznacza, że cierpię na depresję.

— Nie powiedziałem, że cierpisz na depresję.

— Ale Maureen już mi to sugerowała. Podobno wyglądam dziś jak zjawa.

— Raczej jak ktoś, kto zobaczył zjawę.

— Bo zobaczyłem zjawę.

— Spotkałeś kogoś?

Arthur rozłożył ręce i skinął głową, mrużąc oko.

— Sam widzisz, że nie potrafisz przede mną niczego ukryć. Wiedziałem... Znam ją?

— Nie, z pewnością nie.

— Opowiesz mi o niej? Kim jest? Kiedy nas sobie przedstawisz?

— To będzie bardzo trudne. Jest zjawą. Moje mieszkanie ma swojego ducha, zupełnie przypadkowo dowiedziałem się o tym wczoraj wieczorem. To kobieta duch mieszkająca w szafie, w mojej łazience. Spędziłem z nią noc, ale oczywiście traktowałem ją z należnym szacunkiem. Jak na ducha jest niezwykle piękna, to nie... — i zaczął udawać potwora. — Naprawdę, to prześliczny duch, właściwie nawet nie duch, bo należy do kategorii tych, którzy jeszcze tu są, po prostu nie całkiem odeszła i to wyjaśnia jej sytuację. Czy teraz zacząłeś mnie rozumieć?

Paul ze współczuciem przyglądał się koledze.

— Owszem, już wiem, że musisz iść do lekarza.

— Paul, przestań. Czuję się świetnie. — I dodał, zwracając się do Lauren: — To nie będzie wcale łatwe.

— Co nie będzie łatwe? — zainteresował się Paul.

— Nie mówiłem do ciebie.

— To znaczy, że mówiłeś do ducha? Czy on tu jest?

Arthur przypomniał, że to ona, kobieta, i poinformował Paula, że dziewczyna siedzi tuż obok niego, na biurku. Przyjaciel obserwował go w zamyśleniu, bardzo wolno przesuwając otwartą dłoń po blacie biurka.

— Posłuchaj! Wiem, że często robiłem ci głupie kawały, ale ty posuwasz się za daleko. Zaczynam się o ciebie bać. Szkoda, że nie możesz się sobie przyjrzeć. Wyglądasz na wykończonego.

— Jestem zmęczony, bo prawie nie zmrużyłem oka, i na pewno kiepsko wyglądam, ale wewnętrznie czuję się doskonale. Zapewniam cię, że wszystko jest w najlepszym porządku.

— Wewnętrznie czujesz się doskonale? Zewnętrznie wyglądasz jak wrak. A jak czujesz się ogólnie?

— Paul, daj mi trochę popracować. Jesteś moim kumplem, a nie psychiatrą, zresztą nie chodzę do psychiatry. Nie jest mi potrzebny.

Paul poprosił, żeby Arthur zrezygnował z udziału w spotkaniu, w rezultacie którego miało dojść do podpisania kontraktu. Jego obecność mogłaby im zaszkodzić.

— Sądzę, że nie zdajesz sobie sprawy ze swego stanu, ale dziś mógłbyś tylko straszyć.

Tego było już za wiele, urażony Arthur poderwał się z miejsca, chwycił teczkę i ruszył w stronę drzwi.

— W porządku, przerażam was, wyglądam jak zjawa, więc lepiej wrócę do domu. Zejdź mi z drogi, wychodzę! Idziemy stąd, Lauren!

— Arthurze, jesteś geniuszem! Wymyśliłeś niesamowity numer!

— Nie robię ci żadnych numerów, po prostu masz zbyt... jak by to wyrazić... konwencjonalny styl myślenia, żeby pojąć, co przeżywam. Ale wiedz, że nie mam ci tego za złe, ja sam bardzo się zmieniłem od wczorajszego wieczoru.

— Przyznaj, że opowiadasz niestworzone historie!

— Już to mówiłeś. Naprawdę nie musisz się o mnie martwić. Skoro jednak ofiarowałeś się samodzielnie sfinalizować kontrakt, skorzystam z okazji. Mam ochotę się wyspać, więc chętnie pójdę do domu i odpocznę. Bardzo ci dziękuję, zobaczymy się jutro, gdy będę w świetnej formie.

Paul namawiał go na kilkudniowy wypoczynek, przynajmniej do końca tygodnia. Przeprowadzki zawsze są męczące. Zaproponował, że pomoże mu podczas weekendu, i prosił o telefon, gdyby przyjaciel czegoś potrzebował. Arthur podziękował, uśmiechając się ironicznie, potem wyszedł z pokoju i zbiegł po schodach. Kiedy znalazł się na ulicy, rozejrzał się wokół, szukając Lauren.

— Gdzie jesteś?

W końcu Lauren pojawiła się na masce samochodu.

— Masz przeze mnie same kłopoty, tak mi przykro...

— Niepotrzebnie. W końcu od tak dawna mi się to nie zdarzało.

— Co?

— Wagarować! Cały dzień wagarowania!

Paul stał w oknie i ze zmarszczonym czołem obserwował wspólnika, który mówił do siebie, idąc samotnie ulicą. Widział też, jak Arthur bez powodu otwiera drzwi pasażera, zamyka je, po chwili okrąża kabriolet i siada za kierownicą. Był przekonany, że jego najlepszy przyjaciel z przepracowania popadł w depresję lub cierpi na jakąś chorobę mózgu. Tymczasem siedzący w samochodzie Arthur położył ręce na kierownicy i westchnął. Spoglądał na Lauren i uśmiechał się w milczeniu. Skrępowana odwzajemniła jego uśmiech.

— Prawda, że to irytujące, kiedy biorą cię za wariata? Ale nie było tak źle, przynajmniej nie uznał cię za dziwkę.

— O co ci chodzi? Czy moje wyjaśnienia nie były dość jasne?

— Przeciwnie, były bardzo przekonywające. Dokąd jedziemy?

— Zjemy porządne śniadanie, a ty dokładnie mi o wszystkim opowiesz.

Z okna gabinetu Paul obserwował przyjaciela siedzącego w samochodzie zaparkowanym przed wejściem do budynku. Kiedy spostrzegł, że Arthur coś mówi, zwracając się do wytworu swojej wyobraźni, postanowił z nim pogadać i wykręcił numer telefonu komórkowego. Usłyszawszy głos przyjaciela, poprosił, by ten jeszcze nie odjeżdżał, bo muszą zamienić parę słów. Obiecał, że za moment będzie na dole.

— O czym znowu chcesz rozmawiać? — zapytał Arthur.

— Zaraz się dowiesz.

Paul zbiegł po schodach, minął dziedziniec, otworzył drzwi po stronie kierowcy i usiadł niemal na kolanach przyjaciela.

— Posuń się!

— Psiakość, wsiądź z drugiej strony!

— Nie masz nic przeciwko temu, żebym poprowadził?

— Nie rozumiem, chciałeś rozmawiać czy wybrać się ze mną na przejażdżkę?

— Jedno i drugie! Przesiądź się!

Paul odepchnął Arthura, zajął miejsce za kierownicą, przekręcił kluczyk w stacyjce i wyjechał z parkingu. Przed pierwszym skrzyżowaniem gwałtownie zahamował.

— Zadam ci tylko jedno wstępne pytanie: czy twój duch jest w tej chwili w samochodzie?

— Owszem, ale przesiadła się do tyłu, kiedy zobaczyła, jak gwałtownie tu wtargnąłeś.

Wówczas Paul otworzył drzwi, wysiadł, złożył oparcie swojego fotela i, zwracając się do Arthura, zażądał:

— Bądź tak miły i poproś Caspra*, żeby wysiadł. Muszę porozmawiać z tobą w cztery oczy. Spotkacie się w domu!

Lauren pojawiła się przy oknie po stronie pasażera.

— Wpadnij po mnie na North-Point — powiedziała — trochę tam pospaceruję. Pamiętaj, że jeśli to zbyt trudne, nie musisz mówić mu prawdy. Nie chcę cię stawiać w kłopotliwej sytuacji!

— To mój wspólnik i przyjaciel, nie mogę go okłamywać.

— Świetnie, pogadaj o mnie z tablicą rozdzielczą! — wtrącił Paul.

— Wiesz, ja z kolei otworzyłem wczoraj lodówkę, zobaczyłem światło, wszedłem do środka i przez pół godziny plotkowałem o tobie z kostką masła i sałatą.

— Nie rozmawiam o tobie z tablicą rozdzielczą, ale z nią!

— W takim razie powiedz Lady Casper, żeby poszła wyprasować swoje prześcieradło, a my tymczasem troszkę pogadamy!

Lauren zniknęła.

— Odszedł? — zapytał lekko podenerwowany Paul.

— Ona, a nie on! Tak, zostawiła nas, zraziło ją twoje grubiaństwo! Dobrze, mów, co to za gra?

— Gra? — żachnął się Paul. Samochód ruszył. — Po prostu wolałem, żebyśmy zostali sami, chcę z tobą pomówić o sprawach osobistych.

— O czym?

— O skutkach ubocznych, które mogą wystąpić nawet po kilku miesiącach od chwili rozstania.

I Paul wygłosił tyradę. Carol-Ann nie była dla niego odpowiednią kobietą, niech sobie przypomni, ile przez nią wycier-

---

* Casper — postać z kreskówek dla dzieci; dobry duszek, który nie chciał straszyć, ale pomagać.

piał, przecież wie, że nie była tego warta. Krótko mówiąc, unicestwiała szczęście. Żądał, by Arthur uczciwie przyznał, że nie zasługiwała, żeby z jej powodu tak cierpieć i niszczyć samego siebie. Żadna z kobiet, z którymi związał się po rozstaniu z Karine, tak go nie pogrążyła. A Karine... Paul doskonale rozumiał, że przy niej Carol-Ann...

Arthur wtrącił, że za czasów owej Karine miał dziewiętnaście lat i o ile go pamięć nie myli, nawet z nią nie flirtował. Paul już od dwudziestu lat rozprawiał o niej, przy lada okazji wymieniał jej imię, a to tylko dlatego, że pierwszy ją ujrzał. Paul upierał się, że nigdy o niej nie wspominał.

— Co najmniej trzy razy do roku! — poprawił go Arthur. — Ledwie uchylisz kuferek ze wspomnieniami, pojawia się jej imię. Ale ja nie pamiętam nawet, jak ona wyglądała!

Nagle Paul zaczął żywo gestykulować, jakby chciał pokryć zmieszanie.

— Dlaczego przez tyle lat nie chcesz mi powiedzieć, co was łączyło? Przyznaj wreszcie, że z nią chodziłeś! Sam powiedziałeś przed chwilą, że to było dwadzieścia lat temu, więc chyba nie obowiązuje cię już dochowanie tajemnicy!

— Nie zawracaj mi głowy! Czyżbyś wybiegł z biura jak szalony i woził mnie po całym mieście tylko dlatego, że nagle zapragnąłeś pogawędzić o Karine Lawenski? Dokąd właściwie jedziemy?

— Niby nie pamiętasz, jak wyglądała, ale jej nazwiska nie zapomniałeś?

— Czy to ta niecierpiąca zwłoki sprawa?

— Nie. Chcę pomówić o Carol-Ann.

— Dlaczego nagle się nią zainteresowałeś? Dziś napomykasz o niej już trzeci raz. Nie widuję się z nią, nie dzwonimy do siebie. Może cię to zmartwi, ale to na pewno nie powód, żeby wywozić mnie moim samochodem aż do Los Angeles, bo nie wiem, czy zauważyłeś, że minęliśmy port i dotarliśmy do South-Market. Co się stało? Może Carol-Ann zaprosiła cię na kolację?

— Przypuszczasz, że bym się zgodził? Nawet kiedy byliście razem, z trudem przychodziło mi wytrzymać przy stole. A przecież twoja obecność mi to ułatwiała.

— Powiedz wreszcie, o co chodzi? Po co przemierzamy miasto?

— Bez powodu. Chciałem z tobą pogadać, chciałem, żebyś ty ze mną pogadał.

— O czym?

— O tobie!

Paul skręcił nagle w lewo i wjechał na parking przed kompleksem czteropiętrowych budynków, których fasady wyłożono białymi kafelkami.

— Paul, wiem, że wyda ci się to idiotyczne, ale ja naprawdę spotkałem ducha!

— Arthurze, wiem, że wyda ci się to idiotyczne, ale ja naprawdę zaprowadzę cię do lekarza!

Arthur, który patrzył na przyjaciela, odwrócił się gwałtownie i zobaczył widniejący na frontonie budynku napis.

— Przywiozłeś mnie do kliniki? Naprawdę to zrobiłeś! Nie wierzysz mi?

— Oczywiście, że ci wierzę! Ale będę ci jeszcze bardziej wierzył, kiedy zobaczę wynik tomografii!

— Chcesz, żebym zrobił tomografię?

— Posłuchaj, uparty mule! Gdybym któregoś dnia przyszedł do biura z gębą faceta, który na miesiąc utknął na ruchomych schodach, gdybym wybiegł wściekły, chociaż nigdy nie tracę panowania nad sobą, i gdybyś zobaczył przez okno, że idę, trzymając rękę uniesioną pod kątem prostym, a potem otwieram drzwi samochodu nieistniejącemu pasażerowi, bo obok mnie nie ma nikogo, naprawdę nikogo, i gdybym w dodatku wyjaśnił ci, że po prostu poznałem ducha, to mam nadzieję, że martwiłbyś się o mnie, tak jak ja w tej chwili martwię się o ciebie.

Arthur zdobył się na uśmiech.

— Kiedy zobaczyłem ją w tej szafie, pomyślałem, że zrobiłeś mi kawał.

— Chodź ze mną. Chcę się uspokoić!

Arthur pozwolił prowadzić się za rękę do rejestracji. Pielęgniarka powiodła za nimi wzrokiem. Paul usadowił Arthura na krześle i polecił nie ruszać się z miejsca. Traktował go jak niegrzecznego chłopca, którego strach spuścić z oka. Potem podszedł do rejestracji i zawołał ponaglającym tonem:

— Nagły przypadek!

— Jakiego typu? — zapytała niezwłocznie pielęgniarka, a w jej głosie pobrzmiewała nutka dezynwoltury, uderzająca szczególnie w porównaniu z tonem Paula, wyraźnie zniecierpliwionego i podenerwowanego.

— Raczej typa, tego, który siedzi w fotelu!

— Pytam o rodzaj choroby.

— Uraz czaszki!

— Jak to się stało?

— Miłość jest ślepa, a ten gość ciągle zbiera rozdawane jej białą laską razy. Tym razem oberwał po głowie i doznał poważnego uszczerbku!

Ta replika wydała jej się dowcipna, chociaż nie była pewna, czy uchwyciła jej sens.

— Przykro mi, ale bez wyznaczenia wizyty i skierowania nie mogę panom pomóc — oznajmiła.

— Przykro to dopiero pani będzie! — wykrzyknął Paul i władczym tonem spytał, czy to na pewno klinika doktora Bresnika. Pielęgniarka potakująco skinęła głową. Wyjaśnił, wciąż lekko podniesionym głosem, że właśnie w tej klinice sześćdziesięciu współpracowników jego firmy architektonicznej przeprowadza doroczne badania kontrolne, że tu przychodzą na świat ich dzieci, które również tu są szczepione i leczone z katarów, gryp, angin i innych paskudztw.

Jednym tchem dorzucił, że wszyscy ci mili pacjenci czy raczej klienci instytucji medycznej, którą ona reprezentowała, mieli dwóch chlebodawców — jego oraz pana, który tak bezradnie czekał w fotelu.

— A zatem, droga pani, albo doktor Bres-jakiś-tam natychmiast zajmie się moim wspólnikiem, albo żadna ze wzmiankowanych osób nie przestąpi progu tej imponującej kliniki, nie wytrze butów o wasz śliczny dywanik i nie zapłaci nawet za przyklejenie plastra na skaleczony palec!

*

Godzinę później Arthur, którego Paul nie odstępował na krok, został poddany serii badań. Najpierw wykonano elektrokardiografię wysiłkową (z mnóstwem elektrod na klatce piersiowej musiał przez dwadzieścia minut pedałować na rowerze stacjonarnym), potem pobrano mu krew (Paul wolał opuścić gabinet). Następnie lekarz przeprowadził serię testów neurologicznych (kazał Arthurowi podnosić nogę i zamykać lub otwierać przy tym oczy, opukiwał małym młotkiem łokcie, kolana i brodę, a nawet drapał igłą stopę). Na żądanie Paula wykonano wreszcie tomografię komputerową. Gabinet, w którym przeprowadzano to badanie, był przedzielony ścianką ze szkła. Jedną część pomieszczenia zajmowała imponująca machina w kształcie tulei, w której wnętrzu znikał pacjent (dlatego często porównuje się tomograf do sarkofagu), drugą zajmowały urządzenia sterujące i kontrolujące — pulpity i monitory, połączone pękami czarnych kabli. Arthura ułożono na wąskiej platformie, okrytej białym prześcieradłem, założono na czoło i biodra pasy mocujące. Potem lekarz wcisnął guzik i platforma wjechała do tulei. Odległość dzieląca ciało Arthura od ścianek urządzenia wynosiła zaledwie kilka centymetrów, toteż właściwie nie mógł się poruszać. Uprzedzono go, że może doznać odczuć, jakie gnębią cierpiących na klaustrofobię.

Podczas badania musiał być sam, ale w każdej chwili mógł porozumieć się z Paulem oraz z lekarzem, którzy znajdowali się za szybą. Dziupla, w której go uwięziono, była wyposażona w dwa małe głośniki i przez nie docierały do niego głosy osób

60

obsługujących aparaturę. Naciskając małą gumową gruszkę, którą wsunięto mu do ręki, mógł włączyć mikrofon. Kiedy zamknęły się drzwi pomieszczenia, maszyna zaczęła wydawać przenikliwe dźwięki.

— Czy to bardzo przykre badanie? — zapytał rozbawiony Paul.

Operator wyjaśnił mu, że rzeczywiście jest dość nieprzyjemne. Wielu cierpiących na klaustrofobię pacjentów nie jest w stanie go wytrzymać i zmusza personel medyczny do przerwania całej procedury.

— Nie ma mowy o najlżejszym bólu, ale ciasnota i hałas rozdrażniają i niektórym trudno to znieść.

— Można z nim rozmawiać? — ciągnął Paul.

Owszem, wystarczyło nacisnąć żółty przycisk, usytuowany w zasięgu ręki Paula. Operator dodał, że lepiej to uczynić, kiedy aparat milknie, jeśli bowiem Arthur odezwie się, czyli poruszy szczęką podczas wykonywania zdjęć, obraz może okazać się nieczytelny.

— Zobaczy pan wnętrze jego mózgu?

— Tak.

— Co można wykryć dzięki temu badaniu?

— Wszelkiego rodzaju zmiany, na przykład tętniaki.

Zadzwonił telefon i lekarz podniósł słuchawkę. Po trwającej kilka sekund rozmowie przeprosił Paula. Musiał wyjść na chwilę. Prosił o niedotykanie niczego, wszystko tu było automatyczne, a jego kilkuminutowa nieobecność nie przeszkadzała w kontynuacji badania.

Kiedy za lekarzem zamknęły się drzwi, Paul zerknął przez szybę na przyjaciela i dziwny uśmiech pojawił się na jego ustach. Zwrócił oczy na żółty przycisk. Po chwili wahania nacisnął i powiedział:

— To ja, Arthurze! Lekarz musiał wyjść, ale nie bój się, dopilnuję, żeby wszystko odbyło się jak należy. Nie masz pojęcia, ile tu guziczków. Jakbym znalazł się w kokpicie nowoczesnego samolotu i usiadł za sterami, bo pilot się katapul-

tował! No co, staruszku, może teraz to z siebie wydusisz?
Powiadasz, że nie chodziłeś z Karine, ale chyba się z nią
przespałeś?

*

Gdy wyszli na parking szpitalny, Arthur trzymał pod pachą
plik szarych kopert z wynikami badań. Wszystkie wypadły
wręcz doskonale i nie wzbudzały najlżejszego niepokoju.
— Czy teraz mi wierzysz? — zapytał Arthur.
— Podrzuć mnie do biura i jedź do domu, żeby odpocząć,
tak jak się umawialiśmy.
— Nie odpowiedziałeś na moje pytanie. Przekonałeś się, że
nie mam guza mózgu. Czy teraz mi wierzysz?
— Posłuchaj, musisz odpocząć, może rzeczywiście to wszystko z przemęczenia.
— Paul, zagrałem w tym medycznym przedstawieniu. Może
teraz zechciałbyś zagrać w moim?
— Chyba mnie to nie bawi! Jeszcze do tego wrócimy, teraz
muszę się pospieszyć, żeby zdążyć na spotkanie. Pojadę tak-
sówką. Później do ciebie zadzwonię.
I Paul wysiadł z saaba. Arthur ruszył w kierunku North-Point.
W głębi ducha zaczynał lubić tę historię i jej bohaterkę, a nawet
kłopoty, jakich mu to przysparzało.

6

Na stromym brzegu Oceanu Spokojnego wznosiła się restauracja turystyczna. Sala jej była wypełniona po brzegi, a dwa zawieszone nad barem telewizory umożliwiały kibicom równoczesne śledzenie przebiegu dwóch meczów baseballowych. Zawierano zakłady. Usiadł przy oknie. Właśnie zamierzał zamówić cabernet sauvignon, kiedy przebiegł go dreszcz. Poczuł, że to ona pieści go nagą stopą, uśmiechając się triumfalnie i przebiegle. Podskoczył jak oparzony i chwycił ją za nogę w kostce, po czym przesunął rękę w górę:

— Czuję cię!

— Chciałam się upewnić.

— Upewniłaś się.

Kelnerka, która przyjmowała zamówienie, zapytała, wydymając usta:

— Cóż takiego pan czuje?

— Nic. A co miałbym czuć?

— Przed chwilą powiedział pan do mnie „czuję cię".

Zwracając się do Lauren, która uśmiechała się teraz promiennie, rzekł:

— Jak dobrze pójdzie, wkrótce mnie zamkną.

— Chyba byłoby to najlepsze wyjście — burknęła kelnerka i odeszła, wzruszając ramionami.

— Chciałbym złożyć zamówienie! — krzyknął za nią Arthur.

— Zaraz przyślę Boba, przekonamy się, czy i jego pan czuje!

Po kilku minutach stanął przed nim Bob, chłopak może nawet bardziej kobiecy niż jego koleżanka. Arthur poprosił o jajecznicę z łososiem i sok pomidorowy. Tym razem poczekał, aż kelner się oddali, by porozmawiać z Lauren o jej trwającej od pół roku samotnej egzystencji.

Bob przystanął na środku sali i skonsternowany przypatrywał się mówiącemu do siebie gościowi. Jednak ledwie Arthur zagaił rozmowę, Lauren przerwała mu, pytając, czy ma telefon komórkowy. Nie uchwycił jej intencji i tylko pokiwał głową.

— Wyjmij go i udawaj, że do kogoś dzwonisz, inaczej naprawdę wylądujesz w domu wariatów.

Arthur rozejrzał się i stwierdził, że obserwuje go wielu gości, a niektórym bliskość tak dziwnego osobnika najwyraźniej psuje chwile spędzane przy restauracyjnym stole. Powtórzył do słuchawki pytanie, które zadał Lauren wcześniej. Pierwsze dni niewidzialności były nawet zabawne. Opisała mu uczucie absolutnej wolności, którego doznawała w początkowym okresie. Nie musiała martwić się ani o strój, ani o fryzurę, nie przejmowała się cerą, mimiką ani figurą, bo przecież nikt jej nie widział. Nie miała żadnych obowiązków, nie musiała stać w kolejkach; zawsze i wszędzie, nikogo nie drażniąc i nie przeszkadzając, przechodziła pierwsza. Nikt nie osądzał jej reakcji i zachowań. Nie musiała okazywać· dyskrecji, mogła przysłuchiwać się rozmowom, widzieć to, co niewidzialne, słyszeć niesłyszalne, być tam, gdzie było to niedozwolone. Nikt jej nie słyszał.

— Mogłam przycupnąć na skraju biurka w Gabinecie Owalnym i poznać tajemnice państwowe, mogłam siadać na kolanach Richarda Gere'a albo brać prysznic z Tomem Cruise'em.

Niemal wszystko stało się dla niej dostępne. Miała prawo przechadzać się po zamkniętych muzeach, wchodzić do kina bez biletu, sypiać w pałacach, latać myśliwcami, uczestniczyć w najbardziej skomplikowanych zabiegach chirurgicznych, bez niczyjej zgody odwiedzać laboratoria badawcze, spacerować po filarach Golden Gate. Z telefonem przy uchu wypytywał, czy skosztowała choć jednej z tych niedozwolonych przyjemności.

— Nie. Mam zawroty głowy, boję się samolotów, do Waszyngtonu jest za daleko, a ja nie potrafię jeszcze przenosić się na takie odległości, po raz pierwszy zasnęłam wczoraj, więc po co mi pałacowe sypialnie, a do sklepów nie warto wchodzić, skoro nie można niczego dotknąć.

— A co z Richardem Gere'em i Tomem Cruise'em?

— To jak ze sklepami!

Z rozbrajającą szczerością wytłumaczyła mu, że wcale niewesoło być zjawą. Wszystko jest dostępne, a zarazem wszystko jest niemożliwe. Brak jej ludzi, których kochała. Nie może nawiązać z nimi kontaktu.

— Już nie istnieję. Widzę ich, ale sprawia mi to więcej bólu niż radości. Może tym właśnie jest czyściec — wieczną samotnością.

— Wierzysz w Boga?

— Nie, ale w mojej sytuacji łatwo stracić wiarę w to, w co się wierzyło, przyjąć to, w co się nie wierzyło. Przecież w duchy też nie wierzyłam.

— Zupełnie jak ja — wtrącił.

— Nie wierzysz w duchy?

— Ty nie jesteś duchem.

— Tak sądzisz?

— Lauren, przecież nie umarłaś, gdzieś tam bije twoje serce, twoja dusza żyje gdzieś obok. Rozdzieliły się, ale tylko na chwilę. Musisz się dowiedzieć, dlaczego tak się stało i jak je połączyć.

— Przyznasz, że mamy tu do czynienia z rozwodem o bardzo poważnych konsekwencjach.

Wprawdzie zjawisko, z którym się zetknął, przerastało jego zdolność pojmowania, nie zamierzał jednak ograniczyć się do tego stwierdzenia. Nie odkładając telefonu, zapewniał, że nie zrezygnuje, że chce zrozumieć, że trzeba znaleźć sposób połączenia jej ducha z ciałem, że musi wyjść ze śpiączki, bo, jak podkreślił, oba te zjawiska są ze sobą powiązane.

— Przepraszam, ale wydaje mi się, że poczyniłeś wielki krok w swoich badaniach!

Zignorował tę sarkastyczną uwagę i zaproponował, aby wrócili do domu i pogrzebali w Internecie. Chciał zebrać wszelkie dane na temat komy — wyniki badań naukowych, raporty lekarskie, bibliografię, dane historyczne, relacje. Interesowało go przede wszystkim to, co dotyczyło przypadków długotrwałej śpiączki, z której udało się wyprowadzić pacjenta. Muszą odnaleźć takie osoby i porozmawiać z nimi. Ich relacje mogą wiele wnieść.

— Dlaczego to robisz?

— Bo nie masz wyboru.

— Odpowiedz na moje pytanie. Zdajesz sobie sprawę ze skutków tej decyzji, z jej wpływu na twoje życie osobiste? Wiesz, ile czasu to pochłonie? Masz pracę, zobowiązania.

— Jesteś kobietą pełną sprzeczności.

— Nie, po prostu trzeźwo myślę. Nie zauważyłeś, że wszyscy dziwnie ci się przypatrywali, bo przez dziesięć minut mówiłeś do siebie? Jeszcze to do ciebie nie dotarło, ale następnym razem kelner powita cię przy drzwiach i oznajmi, że nie ma wolnych miejsc. Ludzie nie lubią odmienności, a facet, który głośno mówi i gestykuluje, siedząc samotnie przy stoliku, drażni ich.

— W tym mieście jest ponad tysiąc restauracji, mam duży wybór.

— Arthurze, jesteś dobry, naprawdę dobry, ale brak ci poczucia realizmu.

— Nie obraź się, ale brakiem realizmu bijesz mnie na głowę.

— Nie igraj ze słowami, Arthurze. Unikaj daremnych obietnic, nie zdołasz rozwikłać tej zagadki.

— Nigdy nie rzucam słów na wiatr i nie jestem dobry!

— Nie rozbudzaj we mnie płonnych nadziei, nie zdążysz ich spełnić.

— Nie cierpię robić tego w restauracji, ale skoro mnie zmuszasz! Wybacz.

Arthur zachował się, jakby skończył rozmowę, zerknął na Lauren, włączył telefon i wybrał numer wspólnika. Dziękując Paulowi, że zechciał poświęcić mu dziś rano tyle czasu i że tak się o niego troszczył, zapewnił w kilku zdaniach, że miewa się całkiem dobrze i przyznał, że był u kresu sił, toteż zarówno dla firmy, jak dla niego samego lepiej będzie, jeśli nie pojawi się w pracy przez kilka najbliższych dni. Przekazał pewne istotne informacje, dotyczące ostatnich kontraktów, i powiedział, że Paul może liczyć na pomoc Maureen. Ponieważ czuł się zbyt zmęczony, aby wyjechać, postanowił zostać w domu i w razie potrzeby można skontaktować się z nim telefonicznie.

— Teraz nie mam już żadnych obowiązków zawodowych. Proponuję, żebyśmy natychmiast przystąpili do działania.

— Nie wiem, co powiedzieć.

— Nic nie mów. Lepiej mi pomóż, przecież znasz się na medycynie!

Bob przyniósł rachunek i zmierzył Arthura wymownym spojrzeniem, na co ten wybałuszył oczy, zrobił przerażający grymas, wywalił język i poderwał się od stołu. Bob cofnął się o krok.

— Bob, nie spodziewałem się tego po tobie. Bardzo mnie rozczarowałeś. Chodźmy, Lauren, to miejsce nie jest nas godne.

W drodze powrotnej do domu Arthur wprowadził Lauren w metodologię poszukiwań, które zamierzał rozpocząć. Wymienili opinie i wspólnie opracowali plan bitwy.

7

Zaraz po powrocie do domu Arthur usiadł przy biurku. Włączył komputer i wszedł do Internetu. Przeglądarki informatyczne umożliwiały mu błyskawiczny dostęp do setek baz danych, dotyczących interesującego go problemu. Rozpoczął poszukiwania najprościej, wpisując do odpowiedniej rubryki słowo „koma". Web podał mu wiele adresów, pod którymi mógł znaleźć publikacje, relacje, teksty odczytów i konferencji na temat tego zagadnienia. Lauren przysiadła na brzegu biurka.

Zaczęli od połączenia z serwerem Memorial Hospital i wybrali rubrykę Neuropatologia i traumatologia mózgu. Jedna z ostatnich publikacji profesora Silverstone'a, omawiająca urazy czaszki, pozwoliła im zapoznać się z klasyfikacją różnych typów śpiączki według skali ośrodka w Glasgow: trzy cyfry określały reakcję na bodźce wzrokowe, słuchowe i czuciowe. Przypadek Lauren odpowiadał oznaczeniu 1.1.2, suma tych cyfr wskazywała na komę kategorii czwartej, inaczej zwaną śpiączką głęboką. Jeden z serwerów wskazał im inny zbiór danych i tam właśnie znaleźli wyniki badań statystycznych dotyczących rokowań i ewolucji choroby w poszczególnych typach śpiączki. Nikt jeszcze nie powrócił z podróży do „kategorii czwartej"...

Liczne wykresy, przekroje aksonometryczne, rysunki, raporty i bogata bibliografia trafiały do pamięci komputera, następnie Arthur drukował większość z nich. W sumie zebrało się około siedmiuset stron wyselekcjonowanych informacji, zestawionych w grupy tematyczne.

Arthur zamówił pizzę i dwa piwa, po czym oznajmił z entuzjazmem, że teraz pozostało mu już tylko czytanie. Lauren raz jeszcze zapytała, dlaczego to robi. Odparł, że to jego obowiązek wobec kogoś, kto w bardzo krótkim czasie tak wiele go nauczył i dzięki komu poznał smak szczęścia. Chyba wiesz, dodał, że każde marzenie ma swoją cenę. I zatopił się w lekturze, notując to, czego nie rozumiał, czyli niemal wszystko. W miarę postępu prac Lauren wyjaśniała mu terminologię, wprowadzając w lekarski sposób rozumowania.

Arthur przypiął do deski kreślarskiej duży arkusz papieru, na którym w sposób syntetyczny notował najistotniejsze wnioski i informacje. Dokonywał ich klasyfikacji i brał w ramki, a następnie łączył poszczególne grupy, ustalając zachodzące pomiędzy nimi relacje. W ten sposób powstawał ogromny wykres, a wkrótce na desce pojawił się drugi arkusz, zawierający wnioski, które udało mu się wyciągnąć.

Poświęcił dwa dni i dwie noce, aby zrozumieć istotę problemu, a następnie znaleźć klucz do rozwiązania zagadki, która nurtowała ich oboje.

Poświęcił dwa dni i dwie noce, aby stwierdzić, że śpiączka jest i będzie, może jeszcze przez kilka lat, a może dopóki świat nie pozna wyników prac kilku czy kilkunastu badaczy, mroczną zagadką, tajemniczym stanem, w którym ciało wegetuje, odseparowane od ożywiającej je duszy. Wyczerpany, z zaczerwienionymi oczyma, zasnął na podłodze. Lauren siedziała przy desce kreślarskiej, wpatrując się w wykresy, wodząc palcem po strzałkach, które łączyły poszczególne ramki, i właśnie wtedy stwierdziła ku swemu zaskoczeniu, że kartka drga pod jej dotykiem.

Przykucnęła obok Arthura, potarła dłonią o dywan, a potem musnęła nią przedramię przyjaciela i ujrzała, jak unoszą się porastające je włoski. Uśmiechając się, pogładziła czuprynę Arthura, ułożyła się tuż przy nim i pogrążyła w zadumie.

*

Obudził się siedem godzin później. Lauren wciąż siedziała przy desce kreślarskiej.

Przetarł oczy i uśmiechnął się do niej, otrzymując w zamian uśmiech.

— Lepiej byłoby ci w łóżku, ale spałeś tak smacznie, że nie miałam sumienia cię budzić.

— Długo spałem?

— Parę godzin, na pewno nie dość, żeby nadrobić zaległości.

Chciał wypić kawę i wrócić do pracy, ale ostudziła jego zapał. To zaangażowanie wzruszało ją do głębi, jednak uważała, że Arthur na próżno zadaje sobie tyle trudu. On nie był lekarzem, ona zaledwie stażystką, we dwoje nie mogli rozwikłać tajemnicy śpiączki.

— Co proponujesz?

— Wypij tę kawę, o której marzysz, weź prysznic, a potem chodźmy na spacer. Nie możesz żyć w izolacji, zamykać się w domu tylko dlatego, że zagościł u ciebie duch.

Odparł, że najpierw wypije kawę, a potem porozmawiają o pozostałych sprawach. Chciał też, żeby skończyła z tym „duchem", bo naprawdę różnie można by ją nazwać, ale na pewno nie tak. Zapytała, co znaczy „różnie nazwać", lecz odmówił odpowiedzi.

— Powiem coś miłego, o co potem będziesz miała do mnie żal.

Lauren uniosła brwi, spoglądając na niego pytająco.

— Coś miłego? Na przykład co? — indagowała

Poprosił, żeby puściła w niepamięć jego słowa, lecz jak z góry przewidział, nic nie wskórał. Wzięła się pod boki, stanęła na wprost niego i powtórzyła:

— Coś miłego? No powiedz!

— Lauren, zapomnij o tym. Nie jesteś zjawą z zaświatów.

— Kim więc jestem?

— Kobietą, piękną kobietą. A teraz pozwól, że wezmę prysznic.

Nie oglądając się, wyszedł z pokoju. Lauren znów pogładziła dywan i jej twarz rozpromieniła się w uśmiechu. Po półgodzinie Arthur wskoczył w dżinsy i ciepły kaszmirowy sweter i wyszedł z łazienki. Oznajmił, że ma ochotę na porządny kawałek mięsa. Przypomniała mu, że jest dopiero dziesiąta rano, a on odparł, że o tej porze w Nowym Jorku jada się obiad, a w Sydney kolację.

— Ale my nie jesteśmy ani w Nowym Jorku, ani w Sydney, tylko w San Francisco.

— To na pewno nie zepsuje smaku mięsa.

Pragnęła, żeby powrócił do normalnego życia, i powiedziała mu o tym. Prowadzić normalne życie to szczęście, którego nie wolno trwonić. Nie miał prawa po prostu wszystkiego rzucić. Zaoponował — jego zdaniem dramatyzowała. W końcu chodziło tylko o parę dni...

— Nie. Dałeś się wciągnąć w niebezpieczną grę, z której nie mamy szans wyjść zwycięsko — przekonywała.

Słysząc to, Arthur wybuchł:

— I coś takiego mówi lekarz! Sądziłem, że przeznaczenie nie istnieje, że póki tli się iskierka życia, jest też nadzieja, że wszystko może się wydarzyć. Dlaczego ja wierzę w to mocniej niż ty?

Właśnie dlatego, że to ona była lekarzem, żądała, by trzeźwo ocenił sytuację, ponieważ uważała, iż tracą czas, jego czas.

— Arthurze, nie powinieneś się do mnie przywiązywać, nic nie mogę ci dać, niczego z tobą dzielić, niczego zaofiarować, nie mogę nawet zaparzyć ci kawy!

— Cholera, nie pomyślałem o tym. Skoro nie możesz zaparzyć mi kawy, nie ma dla nas przyszłości. Nie przywiązuję się do ciebie, Lauren — ani do ciebie, ani do nikogo innego. Nie wymarzyłem sobie dziewczyny w szafie, po prostu cię tam znalazłem. Takie jest życie, tak bywa. Nikt cię nie słyszy, nie widzi, nikt nie może nawiązać z tobą kontaktu.

Zgadza się z nią, ciągnął, zajmowanie się jej problemem jest ryzykowne dla nich obojga. Dla niej, bo wzbudza i podsyca płonne nadzieje, dla niego, bo pochłania czas i wprowadza piekielny zamęt w jego życie, o czym tak często mu przypominała. Ale przecież nie miał wyboru. Była tu, obok niego, w mieszkaniu, które jest jej i jego, znalazła się w trudnej sytuacji, więc zaopiekował się nią jak każdy przyzwoity człowiek, nawet jeżeli pociąga to za sobą pewne ryzyko. Rzucenie dolara włóczędze żebrzącemu pod supermarketem to łatwy gest, który nic nie kosztuje, przekonywał. Tylko wtedy, kiedy dzielisz się tym, czego nie masz w nadmiarze, naprawdę dajesz, mówił. Niewiele o nim wiedziała, a on pragnął postępować konsekwentnie i zdecydował, że nie wycofa się, bez względu na cenę, jaką przyjdzie zapłacić.

Prosił, żeby pozwoliła sobie pomóc, podkreślał, że jednak zachowała coś z prawdziwego życia, bo mogła jeszcze zaakceptować wsparcie ze strony drugiego człowieka. Miała całkowitą rację, sądząc, iż nie przemyślał wszystkiego, zanim zaangażował się w tę sprawę. Nie zastanawiał się nad tym nawet przez chwilę. Bo właśnie wtedy, kiedy robimy wyliczenia, powiedział, rozważamy wszelkie za i przeciw, upływa nasze życie i nic się w nim nie dzieje.

— Nie mam pojęcia jak, ale wyciągnę cię z tego. Gdybyś miała umrzeć, już by się to stało. Ode mnie potrzebujesz tylko wsparcia.

W końcu poprosił, żeby przystała na jego propozycję, jeśli nie dla niej samej, to przynajmniej dla tych wszystkich, których za kilka lat będzie leczyła.

— Byłbyś dobrym adwokatem.

— Byłbym dobrym lekarzem.

— Dlaczego nim nie zostałeś?

— Ponieważ za wcześnie umarła moja mama.

— Ile miałeś wtedy lat?

— Za mało, ale naprawdę wolałbym nie poruszać tego tematu.

— Dlaczego nie chcesz o tym mówić?

Położył kres jej pytaniom, przypominając, że jest lekarką, a nie psychoanalitykiem. Nie chciał o tym mówić, bo wspominanie śmierci matki było zbyt bolesne i zawsze wprawiało go w przygnębienie. Przeszłości i tak nie da się odmienić. Kierował firmą architektoniczną i dawało mu to dużo zadowolenia.

— Lubię swój zawód i ludzi, z którymi współpracuję.

— To twój tajemniczy ogród?

— Nie, ogród nie jest tajemnicą, to przeciwieństwo tajemnicy, to dar. Nic więcej nie powiem, to coś należy tylko do mnie.

Matka osierociła go, kiedy był dzieckiem, jeszcze wcześniej stracił ojca. Dawali mu z siebie wszystko, co najlepsze, tak długo, jak mogli. Tak potoczyło się jego życie i miało to zarówno dobre, jak i złe strony.

— Wciąż jestem potwornie głodny. Wiem, że to nie Sydney, więc usmażę sobie przynajmniej jajecznicę na bekonie.

— Kto wychowywał cię po śmierci rodziców?

— Może powiesz, że nie jesteś uparta?

— Oczywiście, że nie jestem.

— To nudna historia. Nie warto tracić na nią czasu, mamy na głowie znacznie ważniejsze sprawy.

— Mnie ona interesuje.

— Co dokładnie cię interesuje?

— Co takiego, jakie wydarzenie w twoim życiu sprawiło, że jesteś do tego zdolny.

— Zdolny do czego?

— Rzucasz wszystko, żeby zająć się cieniem kobiety, której nie znasz, i wiem, że nie robisz tego, żeby się z nią przespać. Zaintrygowałeś mnie.

— Tylko nie próbuj poddawać mnie psychoanalizie. Ani

tego nie chcę, ani nie potrzebuję. Nie ma strefy mroku, rozumiesz? Jest przeszłość, konkretna i nieodwracalna, dlatego że jest przeszłością.

— Uważasz, że nie mam prawa cię poznać?

— Owszem, masz, oczywiście, że masz, ale przecież próbujesz poznać nie mnie, tylko moją przeszłość.

— Czy tak trudno ją zrozumieć?

— Nie, ale wkraczasz w sferę intymności i nie usłyszysz pogodnej opowiastki, zresztą długo by trzeba mówić, a temat jest teraz nieistotny.

— Czas nie nagli. Przez okrągłe dwie doby zajmowaliśmy się śpiączką, mamy prawo zrobić sobie przerwę.

— Powinnaś zostać adwokatem!

— Tak, ale jestem lekarzem! Mów!

*

Wymawiał się pracą. Nie ma czasu, żeby zaspokoić jej ciekawość. W milczeniu zjadł jajecznicę, odstawił talerz do zlewozmywaka i zajął miejsce przy biurku. Odwrócił się twarzą do Lauren, która siedziała na kanapie.

— Miałeś dużo kobiet? — zapytała, nie patrząc na niego.

— Kiedy kochasz, nie liczysz!

— I ty mówisz, że nie potrzeba ci psychoanalityka! A tych, które się liczyły, było dużo?

— A jak było z tobą?

— Pierwsza zadałam to pytanie!

Odparł, że kochać zdarzyło mu się trzykrotnie — raz w wieku chłopięcym, raz we wczesnej młodości i raz, kiedy był już dojrzały i stawał się mężczyzną, a jeszcze nie całkiem nim był, w przeciwnym razie pewnie zostaliby razem. Lauren uznała tę odpowiedź za uczciwą, ale natychmiast zapytała, dlaczego im się nie udało. Przypuszczał, że stało się tak, ponieważ był zbyt zasadniczy. Zaborczy?, sugerowała, nie rozumiejąc, ale upierał się przy słowie „zasadniczy".

74

— Matka karmiła mnie opowieściami o idealnej miłości, a wiara w ideały to ciężkie kalectwo.

— Dlaczego?

— Bo wówczas bardzo wysoko ustawiasz poprzeczkę.

— Innym?

— Nie, sobie.

Chciała, żeby rozwinął ten wątek, on jednak obawiał się, iż uzna go za staromodnego i śmiesznego. Poprosiła, żeby mimo wszystko spróbował. Widząc, że nie zdoła skłonić jej do zmiany tematu, opisał pierwszy ideał miłości.

— Rozpoznać szczęście, kiedy leży u twoich stóp, mieć odwagę i zdecydować, by pochylić się, chwycić je w dłonie... i zatrzymać. To mądrość serca. Mądrość, która jest tylko logiką, to mało.

— Zatem to ona cię rzuciła!

Arthur nie odpowiedział.

— I nie jesteś jeszcze całkiem wyleczony?

— Owszem, jestem, zresztą nigdy nie byłem chory.

— Nie umiałeś jej kochać?

— Nikomu z nas szczęście nie jest dane na własność, czasami udaje się je zdobyć, być jego najemcą czy może lokatorem. Ale trzeba bardzo regularnie wnosić opłaty, bo opieszałym grozi natychmiastowa eksmisja.

— Uspokoiłeś mnie.

— Wszyscy lękamy się codzienności, jakby to był fatalizm, który rodzi nudę i przyzwyczajenie, ale ja nie wierzę w ten fatalizm...

— A w co wierzysz?

— Wierzę, że codzienność jest źródłem przyjacielskiego porozumienia, dlatego, w przeciwieństwie do przyzwyczajenia, można obdarzyć ją zbytkiem i banalnością, nadmiarem i powszedniością.

Mówił o owocach, których nie zebrano i które psuły się, leżąc na ziemi.

— Są nektarem szczęścia, którego nikt nigdy nie wysączy,

bo ludzie są zbyt niedbali, zbyt łatwo ulegają przyzwyczajeniom, są zbyt pewni siebie albo zarozumiali.

— Czyżbyś eksperymentował?

— Właściwie nigdy. To tylko teoria, którą trzeba by sprawdzić w praktyce. Wierzę w namiętność, która rozkwita.

Arthur uważał, że nie ma nic pełniejszego niż para, która kroczy przez czas, godząc się, by czułość wzięła górę nad namiętnością, ale jak tego doznać, skoro kocha się absolut? Jego zdaniem akceptacja cząstki dziecka, która przetrwa w dorosłym, nie jest błędem, podobnie jak wierność pierwszym marzeniom.

— W końcu stajemy się zupełnie inni, ale przecież każdy jest najpierw dzieckiem. A ty? Kochałaś kogoś? — zapytał.

— Jak wiele znasz osób, które nie kochały? Chcesz wiedzieć, czy kocham? Nie. Tak i nie.

— Zaznałaś wielu rozczarowań?

— Biorąc pod uwagę mój wiek, sporo.

— Nie jesteś zbyt rozmowna. Kto to był?

— Jest. Wciąż żyje. Trzydziestoośmiolatek, filmowiec, ładny chłoptaś, bardzo zajęty i trochę egoista. Ideał faceta.

— Co się stało?

— Od miłości, którą opisałeś, dzieliły nas tysiące lat świetlnych.

— Cóż, każdy ma swój świat! Najważniejsze, żeby zapuścić korzenie w glebie, która nam odpowiada.

— Zawsze używasz takich metafor?

— Często, łatwiej mi wtedy mówić o trudnych sprawach. Opowiesz mi teraz swoją historię?

*

Przez cztery lata dzieliła życie z filmowcem, przez cztery lata przędła nić szczęścia, która pękała, związana snuła się dalej i znowu pękała. Aktorzy tej sztuki odsuwali się od siebie i wracali wiele razy, jakby dramaturgia stanowiła dodatkowy wymiar egzystencji. Uznała, że był to związek egotyczny i nieciekawy, oparty na seksie. Zainteresował się, czy jest bardzo zmysłowa, ale uznała to pytanie za bezczelne.

— Nie musisz odpowiadać.

— Nie miałam zamiaru! Zerwał ze mną dwa miesiące przed wypadkiem. Miał szczęście, przynajmniej teraz nie musi brać na siebie odpowiedzialności za mnie.

— Żal ci tego związku?

— Nie, chociaż w chwili zerwania było mi żal. Ale dziś uważam, że fundamentem, na którym można budować wspólne życie, jest umiejętność dawania.

Przeżyła też kilka przygód, które zawsze kończą się z podobnych przyczyn. Lauren była przeciwieństwem tych, którzy z wiekiem zapominają o ideałach. Im była starsza, tym większą stawała się idealistką. Powtarzała sobie, że próbując dzielić z kimś kawałek życia, trzeba samemu wyrzec się wiary, a sprawić, by ktoś uwierzył, że zaczyna się coś ważnego. Chyba że naprawdę jest się gotowym dawać. Szczęścia nie muska się koniuszkiem palca. Możesz być tym, który daje, albo tym, który bierze. Ona dawała, zanim sama coś otrzymała, ale raz na zawsze przekreśliła egoistów, panów o skomplikowanej osobowości i tych, których serca zżera skąpstwo, niepozwalające podążyć za głosem nadziei i pragnień. Przyznała wreszcie, że nadchodzi taka chwila, kiedy trzeba szczerze pomówić z sobą samym i uświadomić sobie, czego oczekuje się od życia. Arthur uznał, że w tym, co powiedziała, jest jeszcze zbyt dużo porywczości, jaka cechuje młodość.

— Zbyt długo pozwalałam wabić się temu, co było przeciwieństwem moich marzeń, żyłam na antypodach świata, który mógłby mnie urzec — podsumowała.

Miała ochotę zaczerpnąć świeżego powietrza, wkrótce więc oboje wyszli z domu. Arthur skierował się ku Ocean Drive.

*

— Lubię przebywać nad wodą — powiedział, aby przerwać przedłużające się milczenie.

Zapatrzona w horyzont Lauren nie od razu odpowiedziała. Ujęła Arthura pod ramię.

— Co wydarzyło się w twoim życiu? — zapytała.

— Dlaczego cię to interesuje?

— Bo nie jesteś taki jak inni.

— Tak bardzo ci przeszkadza, że mam dwa nosy?

— Nic mi nie przeszkadza, po prostu jesteś inny.

— Inny? Nigdy nie czułem się inny. Inny niż co, niż kto?

— Jesteś pogodny!

— To wada?

— Skądże, ale to tak bardzo zbija z tropu. Mam wrażenie, że nic nie stanowi dla ciebie problemu.

— Lubię szukać rozwiązań, toteż nie obawiam się problemów.

— Tu chodzi o coś więcej.

— O, powrócił mój OPP!

— Co to takiego?

— Osobisty Podręczny Psychiatra.

— Możesz nie odpowiadać, ale i mnie wolno czynić spostrzeżenia. Przecież cię nie osądzam.

— Rozmawiamy jak stare małżeństwo. Nie mam żadnych sekretów, nie chowam się w tajemniczym ogrodzie, nie ukrywam w mroku, nie doznałem żadnego urazu. Jestem, jaki jestem, i mam masę wad.

Nie przepadał za sobą, ale też nie żywił do siebie niechęci, cenił się za to, że potrafi zachować wolność i niezależność od obowiązujących schematów. Być może to właśnie w nim wyczuła.

— Nie jestem jednym z trybików systemu, bo zawsze walczyłem z systemami. Spotykam się z ludźmi, których lubię, chodzę tam, dokąd chcę, czytam książkę, ponieważ mnie wciąga, a nie dlatego, że właśnie tę koniecznie trzeba przeczytać. Całe moje życie wygląda w ten sposób.

Robił to, na co miał ochotę, nie zadając sobie tysięcy pytań, nie roztrząsając wszelkich „dlaczego" i „jak", a o resztę się nie kłopotał.

— Nie chciałabym stać się dla ciebie kłopotem.

Powrócili do tej rozmowy nieco później, siedząc w ciepłym salonie hotelowym. Arthur pił cappuccino i zajadał herbatniki.

— Uwielbiam to miejsce — powiedział. — Pełno tu rodzin, a ja lubię się przypatrywać matkom, ojcom i dzieciom.

Mały, może ośmioletni chłopiec siedział na kanapie, przytulony do matki. Trzymała w ręku otwartą książkę i opowiadała mu o ilustracjach, które wspólnie oglądali. Powoli, pełnym czułości ruchem lewej ręki gładziła policzek synka. Kiedy malec uśmiechał się, na jego promiennej jak słońce buzi pojawiały się dwa dołeczki. Arthur długo im się przyglądał.

— Na co patrzysz? — zapytała Lauren.

— Rozkoszuję się tą chwilą prawdziwego szczęścia.

— To znaczy?

— Zerknij na to dziecko. Przyjrzyj się jego twarzyczce, która jest teraz pępkiem świata, jego małego świata.

— Ten widok wywołuje wspomnienia?

Przemilczał to pytanie i tylko uśmiechnął się do Lauren. Wiedział, że pyta, czy on i jego matka byli dobrymi przyjaciółmi.

— Mama umarła wczoraj, ale od tego wczoraj upłynęły całe lata. Nazajutrz po jej odejściu najbardziej zdumiało mnie, że domy stoją wciąż tam, gdzie stały, przy ulicach, którymi jak zwykle sunie sznur samochodów i chodzą piesi, którzy wyglądają, jakby nie mieli pojęcia, że mój świat legł w gruzach, zniknął. Ja o tym wiedziałem, bo nad moim życiem zawisła pustka, przypominająca prześwietloną kliszę. Nagle miasto przestało wydawać dźwięki, a wszystkie gwiazdy runęły w dół albo może zgasły. Mógłbym przysiąc, że w dniu jej śmierci pszczoły, które zwykle latały po ogrodzie, nie opuściły ula i żadna z nich nie brzęczała w rozarium, jakby i one wiedziały. Gdybym mógł choć na pięć minut stać się znowu tym małym chłopcem, ukrytym przed obcymi w jej ramionach, kołysanym jej głosem. Raz jeszcze poczuć dreszcz, tak dobrze znany mi z lat dzieciństwa, kiedy pomagała mi przejść od dnia do nocy, od zabawy do snu, muskając palcem podbródek. Nic nie mogło mi się przydarzyć, nie obchodził mnie dokuczliwy, duży Steve Hacchenbach, nie przerażały krzyki profesora Mortona, który gniewał się, bo nie odrobiłem lekcji, ani przykre zapachy, dochodzące ze stołówki. Powiem ci, dlaczego, jak to nazwałaś, jestem „pogodny". Skoro nie można przeżyć wszystkiego, ważne jest, aby przeżyć to, co najistotniejsze, a każdy z nas za najistotniejsze uważa coś innego.

— Chciałabym, aby niebo wysłuchało cię i rozważyło mój przypadek, bo to „najistotniejsze" jest jeszcze przede mną.

— Właśnie dlatego nie zrezygnujemy. Wracajmy do domu i bierzmy się do roboty.

Arthur zapłacił, a potem poszli na parking. Kiedy zatrzymali się przy samochodzie, Lauren cmoknęła go w policzek. Dziękuję za wszystko, powiedziała. Arthur uśmiechnął się, zaczerwienił i bez słowa otworzył drzwi wozu.

8

Arthur spędził blisko trzy tygodnie w bibliotece miejskiej — potężnym, neogotyckim gmachu, wzniesionym na początku stulecia, gdzie w dziesiątkach sal pod pełnymi majestatu sklepieniami panowała swoista atmosfera, odróżniająca tę świątynię książki od wielu innych. W salach, w których zgromadzono archiwa miejskie, często zdarza się, że szanowani obywatele, przedstawiciele najwyższych sfer San Francisco, spotykają się z nawróconymi hipisami i wdają się z nimi w rozmowy, przytaczając anegdotki, wymieniając poglądy na temat dziejów miasta. Arthur przebywał w sali 27, pośród książek medycznych. Przesiadując w rzędzie 48, tuż obok prac z zakresu neurologii, w ciągu kilku dni pochłonął tysiące stron poświęconych śpiączce, utracie przytomności i urazom czaszki. Lektura pozwoliła mu dokładniej zrozumieć sytuację Lauren, jednak w najmniejszej mierze nie przybliżyła go do rozwikłania problemu, z którym próbował się zmierzyć. Zamykając przeczytaną książkę, żył nadzieją na odnalezienie jakiejś wskazówki w kolejnym opracowaniu. Przychodził codziennie tuż po otwarciu, układał przed sobą stos podręczników i zaczynał „odrabiać lekcje". Czasami odrywał się od pracy, by podejść do komputera i za pośrednictwem Internetu wysłać pełen pytań list do którejś ze sław medycznych. Zdarzało się, że profesorowie odpowiadali mu, zaintrygowani celem tych studiów. Potem wracał do stolika i znów zatapiał się w lekturze.

Robił sobie krótką przerwę obiadową, którą spędzał w bibliotecznej kawiarni, dokąd zabierał pisma poświęcone tej samej problematyce. Jego pracowite dni kończyły się około dziesiątej wieczorem, z chwilą zamknięcia czytelni.

Późnym wieczorem spotykał się z Lauren i przy kolacji zdawał jej sprawę z ostatnich poszukiwań. Wtedy wszczynali długie dyskusje, a ona wkrótce zapominała, że nie rozmawia ze studentem medycyny. Zaskakiwał ją tempem, w jakim przyswajał sobie terminologię fachową. Przerzucali się argumentami, dochodzili do wspólnych wniosków albo spierali się, często do brzasku i kompletnego wyczerpania. Wcześnie rano, jedząc śniadanie, Arthur przedstawiał jej plan pracy na kolejny dzień. Nie chciał, żeby mu towarzyszyła — utrzymywał, że jej obecność go rozprasza. Choć Arthur nigdy nie okazywał przy Lauren zniechęcenia, a każde jego zdanie było pełne optymizmu, w głębi duszy czuł, że nie mają szans.

Pod koniec trzeciego tygodnia, w piątek, wyszedł wcześniej z biblioteki. W samochodzie nastawił radio na pełny regulator. Słuchał muzyki Barry'ego White'a. Uśmiechnięty ruszył ostro w kierunku California Street, a po chwili zatrzymał się przed sklepem i zrobił zakupy. Właściwie nie odkrył dziś niczego szczególnego, mimo to nagle zapragnął zjeść wystawną kolację. Postanowił, że po powrocie do domu nakryje do stołu, zapali świece, włączy muzykę i poprosi Lauren do tańca, zakazując rozmów o medycynie. Kiedy zatoka rozbłysła w promieniach zachodzącego słońca, zaparkował przed drzwiami wiktoriańskiej kamieniczki przy Green Street. Wbiegł po schodach i wykonawszy kilka łamańców, zdołał wsunąć klucz do dziurki, nie odstawiając żadnej z trzymanych w rękach paczek. Pchnąwszy drzwi nogą, poszedł prosto do kuchni i nareszcie uwolnił się od kłopotliwych toreb.

Lauren siedziała na parapecie, wpatrując się w krajobraz za oknem, i nawet się nie odwróciła, gdy wszedł.

mogła właściwie zaakceptować. Lauren była już tylko ciałem pozbawionym zdolności myślenia i ducha, wegetującym z woli rodziny i niesłychanie kosztownym dla społeczeństwa. Oczywiście, łatwiej sztucznie utrzymywać kochaną istotę przy życiu niż pogodzić się z jej śmiercią, ale za jaką cenę? Trzeba poddać się zrządzeniu Opatrzności, przeżyć ten dramat i bez poczucia winy podjąć jedynie słuszną decyzję. Lekarze uczynili już wszystko co w ich mocy. To, co ma się stać, nie będzie dowodem tchórzostwa — przeciwnie, trzeba mieć odwagę, by na to przystać. Doktor Clomb podkreślała tragizm uzależnienia ciała córki od matki, uświadamiała starszej pani, że ona sama być może nie zdoła dźwigać dłużej takiego brzemienia.

Pani Kline gwałtownie wyrwała jej rękę i potrząsnęła głową, zdecydowanie odmawiając zgody. Nie mogła i nie chciała tego zrobić. Uporczywie podsuwane argumenty pani psycholog z minuty na minutę studziły emocje, działały na rzecz rozważnej i humanitarnej decyzji. Uciekając się do zręcznej retoryki, przedstawicielka szpitala dowodziła, że odmowa jest poważnym błędem, że jest niesprawiedliwa, okrutna, egoistyczna i ze wszech miar zła. W końcu zdołała wzbudzić wątpliwości. Taktownie i delikatnie, sięgając po coraz mocniejsze argumenty, w wyrafinowanych słowach dała wyraz potępieniu, choć jej głos brzmiał łagodnie i przyjaźnie. Córka pani Kline zajmowała miejsce na oddziale intensywnej opieki, a ceną za to była niemożność utrzymania przy życiu innego pacjenta i dania jego rodzinie uzasadnionych nadziei na odzyskanie go. Poczucie winy wobec córki i siebie miało ustąpić poczuciu winy wobec obcych ludzi, wątpliwości zaczynały brać górę. Lauren z przerażeniem przysłuchiwała się dyskusji i widziała, jak stopniowo słabnie determinacja matki. Po czterogodzinnej rozmowie udało się przełamać opór pani Kline, która, zalewając się łzami, przyznała słuszność lekarzom. Zgodziła się rozważyć decyzję o dokonaniu eutanazji. Postawiła tylko jeden warunek, miała jedną jedyną prośbę — błagała, by zechcieli poczekać z tym cztery dni, bo tyle czasu chciała mieć na „upewnienie się". Był czwartek, do poniedziałku lekarze zgodzili się nie podejmować żadnych działań. Musiała się do tego przygotować, musiała uprzedzić najbliższych. Lekarze kiwali głowami, okazując pełne zrozumienie i ukrywając, jak cieszy ich, że matka rozwiąże za nich problem, którego oni sami, mimo swej wiedzy, nie potrafili rozstrzygnąć — co zrobić z istotą ludzką, która nie umarła, ale też i nie żyła?

Hipokrates nie przewidział, że pewnego dnia medycyna zrodzi tego rodzaju dramaty. Lekarze opuścili pokój, zostawiając panią Kline sam na sam z córką. Ujawszy dłoń Lauren i wtuliwszy twarz w jej brzuch, matka z płaczem błagała ją o wybaczenie.

— Dłużej tego nie wytrzymam, kochanie, już nie mogę, dziecinko. Tak bardzo chciałabym leżeć tu zamiast ciebie.

Lauren przypatrywała się jej z końca pokoju, przejęta strachem, smutkiem, wręcz przerażona. Podeszła i objęła matkę, ta jednak nie poczuła jej dotyku. Tymczasem w windzie doktor Clomb gratulowała sobie zdolności dyplomatycznych, rozmawiając z kolegami.

— Nie obawiasz się, że może zmienić zdanie? — zapytał Fernstein.

— Nie, raczej nie, ale w razie potrzeby porozmawiam z nią jeszcze raz.

Lauren opuściła matkę i swoje ciało, zostawiając je sam na sam. Tym razem w stwierdzeniu, że błądziła jak duch, nie było cienia przesady. Wreszcie wróciła na swój parapet, by jak najdłużej napawać się widokiem świateł, krajobrazem, wszystkimi znajomymi zapachami, całym tym tętniącym życiem miastem. Arthur chwycił ją czule w ramiona.

— Jesteś ładna, nawet kiedy płaczesz. Otrzyj łzy, nie pozwolę im na to.

— Co zamierzasz? — zapytała.

— Daj mi kilka godzin, muszę się nad tym zastanowić.

Odsunęła się od niego i podeszła do okna.

— Po co! — powiedziała, wpatrując się w latarnię uliczną. — Może zresztą tak będzie lepiej, może to oni mają rację.

— Co ma znaczyć: „Może tak będzie lepiej"?

Wypowiedziane pełnym agresji tonem pytanie pozostało bez odpowiedzi. Zazwyczaj tak silna, dziś się poddała. Szczerze mówiąc, dysponowała przecież zaledwie połowicznym życiem, burzyła egzystencję matki, a poza tym nikt już na nią nie czekał u wylotu tunelu. O ile w ogóle odzyskałaby przytomność... a przecież to wielce wątpliwe.

— Chyba nie ubzdurałaś sobie, że twoja ostateczna śmierć przyniosłaby matce ulgę!

— Jesteś rozkoszny — przerwała mu.

— Co ja takiego powiedziałem?

— Właściwie nic, tylko spodobała mi się ta „ostateczna śmierć", zwłaszcza w obecnej sytuacji.

— Myślisz, że zdoła wypełnić pustkę, jaką pozostawisz w jej życiu? Myślisz, że dla jej dobra powinnaś się poddać? A ja?

Spojrzała na niego pytająco.

— Co ty?

— Będę na ciebie czekał, kiedy się obudzisz. Może dla innych jesteś niewidzialna, ale mnie to przecież nie dotyczy.

— Czy to oświadczyny?

Te słowa zabrzmiały jak szyderstwo.

— Daruj sobie tę wyniosłość — odparł oschle.

— Po co to wszystko robisz? — zapytała napastliwie.

— Dlaczego mnie prowokujesz, skąd ta agresja?

— Dlaczego tu jesteś, tuż obok mnie, dlaczego nie zostawisz mnie w spokoju, po co się poświęcasz? Może masz nie po kolei w głowie?! — krzyczała. — Jaki masz w tym cel?!

— Stajesz się naprawdę niemiła!

— Odpowiedz mi w końcu, tylko szczerze!

— Usiądź przy mnie i uspokój się. Opowiem ci prawdziwą historię, a wtedy mnie zrozumiesz. Pewnego dnia u nas, pod Carmelem, odbywało się przyjęcie. Miałem wówczas najwyżej siedem lat...

*

I Arthur opowiedział jej historię zasłyszaną od starego przyjaciela rodziców, właśnie podczas tego przyjęcia, w którym on sam uczestniczył jako mały chłopiec. Doktor Miller był wybitnym specjalistą w dziedzinie chirurgii oka. Tego wieczoru zachowywał się dziwnie, wydawał się wzburzony, jakby onieśmielony, co było do niego niepodobne. Zaniepokojona matka Arthura zapytała w końcu, czy coś się stało. Wtedy opowiedział tę historię. Przed dwoma tygodniami operował małą dziewczynkę, niewidomą od urodzenia. Nie wiedziała, jak wygląda, nie rozumiała, co to niebo, nie znała kolorów, a nawet twarzy własnej matki. Świat zewnętrznych obrazów był jej całkowicie obcy, żaden z nich nie dotarł nigdy do jej mózgu. Przez całe życie odgadywała kształty, nie mogła jednak skojarzyć obrazu z tym, o czym opowiadały jej ręce.

A potem Coco, bo tak nazywali doktora przyjaciele, przeprowadził tę, jak sądzono, niewykonalną operację, stawiając wszystko na jedną kartę. Rankiem, przed wizytą u rodziców Arthura, wszedł do pokoju małej i będąc z nią sam na sam, zdjął jej bandaże.

— Zaczniesz troszeczkę widzieć, zanim skończę zdejmować opatrunek. Przygotuj się!

— Co zobaczę? — zapytała dziewczynka.

— Już ci to tłumaczyłem, ujrzysz światło.

— A co to jest światło?

— Życie. Zaczekaj jeszcze chwilkę...

I zgodnie z jego obietnicą po kilku sekundach światło dzienne dotarło do jej oczu. Wtargnęło przez źrenice, szybsze od rzeki, która zerwała tamę, błyskawicznie przebiło się do soczewek, zarzucając dno każdego z dwojga oczu miliardami informacji, jakie ze sobą niosło. Stymulowane po raz pierwszy od dnia narodzin dziecka miliony komórek siatkówki przebudziły się, nastąpiła niezwykle złożona reakcja chemiczna i doszło do uporządkowania przechwytywanych obrazów. Zaczęło się błyskawiczne przekazywanie impulsów przez obudzone z długiego snu nerwy wzrokowe i tą drogą ogromna ilość informacji dotarła do mózgu. W ułamku sekundy mózg rozszyfrował otrzymane impulsy, układając je w ruchome obrazy i pozostawiając odpowiednim strukturom ich kojarzenie i interpretację. Najstarszy, najbardziej złożony i najmniejszy z istniejących na świecie procesorów graficznych uzyskał połączenie z okiem i zaczął funkcjonować.

Dziewczynkę, która z niecierpliwością oczekiwała tej chwili, ogarnęło przerażenie. Chwyciła rękę Coco i powiedziała: Zaczekaj, boję się. Przerwał zdejmowanie bandaży, wziął ją na ręce i raz jeszcze opowiedział o tym, co się wydarzy, kiedy usunie opatrunek. Napłyną setki nowych informacji, które będzie musiała ogarnąć, zrozumieć, porównać ze wszystkim, co do tej pory, wyłącznie na jej użytek, wytworzyła wyobraźnia. A potem Coco usunął bandaże. Otworzywszy oczy, najpierw spojrzała na swoje dłonie. Obracała nimi jak kukiełkami. Następnie zwiesiła głowę, zaczęła się uśmiechać, śmiać i płakać na przemian, ale wciąż nie mogła oderwać oczu od tych dziesięciu palców, jakby próbowała uciec od wszystkiego, co ją otaczało i stawało się teraz realne. Prawdopodobnie była przerażona. Po chwili spojrzała na lalkę, na istotkę z gałganków, która towarzyszyła jej przez wszystkie ciemne jak noc dnie i przez wszystkie noce.

Znajdujące się po przeciwnej stronie pokoju drzwi otwarły się. Matka dziewczynki weszła bez słowa. Dziecko podniosło głowę i przyglądało się jej przez kilka sekund. Przecież nigdy dotąd jej nie widziało! Mimo to, kiedy jeszcze kobieta znajdowała się w odległości kilku metrów, wyraz twarzy dziewczynki zmienił się. Teraz była to buzia malutkiego dziecka, które rozpościera rączki i bez chwili wahania woła do „nieznajomej": mamusiu!

— Kiedy Coco zamilkł, zrozumiałem, że odtąd dysponuje potężną siłą, bo może powiedzieć, że dokonał czegoś ważnego. Uznaj po prostu, że to, co dla ciebie robię, poświęcam pamięci Coco Millera. A teraz, jeśli już się uspokoiłaś, pozwól mi pomyśleć.

Lauren nie odezwała się słowem, szepnęła tylko coś, czego nie mógł usłyszeć, a on usiadł na kanapie i obgryzał ołówek, który znalazł się w zasięgu jego ręki, na niskim stoliku. Siedział tak przez długie chwile, po czym poderwał się, zajął miejsce przy biurku i zaczął robić niechlujne notatki. W sumie potrzebował na rozważania niespełna godziny, którą Lauren spędziła, śledząc każdy jego ruch, jak kotka wodząca wzrokiem za motylem lub muchą. Przekrzywiała głowę, wyraźnie zaintrygowana każdą zmianą pozycji, każdą chwilą intensywniejszej pracy lub przerwą w pisaniu, kiedy to gryzł ołówek. Gdy skończył, zwrócił się do niej. Zauważyła, że jest bardzo poważny.

— Jakim zabiegom poddawane jest w szpitalu twoje ciało?

— Pomijając toaletę?

— Myślę o zabiegach medycznych.

Poinformowała go, że nieodzowna jest kroplówka, nie można bowiem odżywiać jej w inny sposób. Trzy razy w tygodniu zapobiegawczo podawano jej antybiotyki. Opisała masaże, którym poddawano jej biodra, łokcie, kolana i ramiona, aby nie dopuścić do powstania odleżyn. Poza tym przeprowadzano badania kontrolne i mierzono jej temperaturę. Nie była podłączona do respiratora.

— Oddycham samodzielnie, w przeciwnym razie sprawa byłaby prosta, bo wystarczyłoby odłączyć aparaturę. Z grubsza mówiąc, to wszystko.

— Dlaczego w takim razie mówią, że utrzymywanie cię przy życiu jest kosztowne?

— Z powodu łóżka.

Wyjaśniła mu, dlaczego miejsce w szpitalu jest tak drogie. Nie uwzględniano właściwie rodzaju kuracji, jakiej poddawany był pacjent. Ograniczano się do dzielenia kosztów utrzymania kliniki przez liczbę łóżek, jakie posiadała, oraz liczbę dni, przez które były one wykorzystywane. W ten sposób obliczano dzienny koszt hospitalizacji na danym oddziale czy w klinice — neurologii, intensywnej opieki, ortopedii...

— Może uda nam się za jednym zamachem rozwiązać dwa problemy — ich i nasz — oznajmił Arthur.

— Masz jakiś pomysł?

— Zajmowałaś się kiedyś pacjentami w takim stanie?

Robiła to, ale tylko przez krótki okres, gdy chory trafiał do izby przyjęć, nigdy na oddziale.

— A gdybyś musiała się tego podjąć?

Przypuszczała, że nie nastręczałoby to większych problemów, bo właściwie była to praca pielęgniarki, chyba że doszłoby do niespodziewanych komplikacji.

— Więc poradziłabyś sobie?

Nie rozumiała, do czego zmierzał.

— Kroplówka to problem? — wypytywał.

— W jakim sensie?

— Czy łatwo ją zdobyć, czy można ją kupić w aptece?

— W szpitalnej tak.

— A w innych?

Zastanawiała się przez chwilę, a potem potwierdziła. Można kupić glukozę, sól fizjologiczną, płyn wieloelektrolitowy. Zresztą chorzy przebywający w domu przyjmują kroplówki, które zamawia się i przygotowuje w aptece głównej.

— Teraz muszę zadzwonić do Paula — powiedział.

— Po co?

— Żeby zdobyć ambulans.

— Po co ci ambulans? Co planujesz? Może powiesz mi coś więcej?

— Porwiemy cię!

W pierwszej chwili nie zrozumiała, co miał na myśli, ale zaniepokoiła się.

— Kompletnie oszalałeś!

— Wcale nie.

— Jak chcesz mnie porwać? Gdzie ukryjemy ciało? Kto będzie nad nim czuwał?

— Powoli, po jednym pytaniu!

Ona zaopiekuje się swoim ciałem, miała przecież pewne

doświadczenie. Muszą tylko w jakiś sposób zgromadzić zapas płynu do kroplówki, ale z tego, co powiedziała, wywnioskował, że to możliwe. Może od czasu do czasu trzeba będzie zmienić aptekę, żeby nie zwracać na siebie uwagi.

— Skąd weźmiesz recepty? — zapytała.

— To część twojego pierwszego pytania — jak?

— Mów!

Ojczym Paula był mechanikiem i specjalizował się w naprawach wozów strażackich, policyjnych, karetek pogotowia. „Wypożyczą" ambulans, ukradną fartuchy, a potem pojadą po nią i zabiorą pod pozorem przewozu do innego szpitala. Lauren zaśmiała się, podenerwowana.

— To nie takie proste, jak ci się wydaje!

Przypomniała mu, że do szpitala nie wchodzi się jak do supermarketu. Aby dokonać przewozu pacjenta, trzeba załatwić szereg formalności. Należało zdobyć oświadczenie o przejęciu opieki przez szpital docelowy, zezwolenie na wypis, podpisane przez lekarza prowadzącego, kartę transferu, przewoźnika, a do tego list przewozowy, opisujący sposób transportu.

— Właśnie wtedy włączysz się do gry, Lauren. Pomożesz mi zdobyć te dokumenty.

— Przecież nie mogę, nie jestem w stanie utrzymać w ręku kartki, a tym bardziej jej przenieść!

— Ale wiesz, gdzie znaleźć te papierki?

— Tak, i co z tego!

— Ich wyniesieniem zajmę się ja. Znasz te formularze?

— Oczywiście, podpisywałam je dzień w dzień, zwłaszcza pracując w izbie przyjęć.

Opisała mu je. Były to druki w kolorze białym, różowym i niebieskim, z nazwą szpitala albo firmy transportowej w nagłówku.

— Odtworzymy je — zdecydował. — Chodź ze mną.

Arthur wziął kurtkę i klucze. Zachowywał się jak zahipnotyzowany, a jego determinacja właściwie uniemożliwiała Lauren wykazanie, jak nierealny jest ten plan. Wsiedli do samochodu, Arthur otworzył pilotem bramę garażu i wyjechał na Green Street. Była noc. Spokój panujący w mieście nie udzielił się Arthurowi, który jechał szybko w kierunku Memorial Hospital. Zaparkował tuż przed wejściem do izby przyjęć. Lauren głośno zastanawiała się, co on wyprawia, a w odpowiedzi otrzymała uśmiech i krótkie polecenie: Chodź ze mną i przestań się śmiać!

Gdy znaleźli się w drzwiach wejściowych, zgiął się wpół i podszedł do recepcji. Dyżurna pielęgniarka zapytała, co mu dolega. Zaczął uskarżać się na ostre skurcze, które wystąpiły dwie godziny po posiłku, i dwukrotnie zaznaczył, że ma usunięty wyrostek robaczkowy, ale po operacji zdarzały mu się już podobne, bardzo ostre ataki. Pielęgniarka poprosiła, by położył się na kozetce i zaczekał na lekarza, który się nim zajmie. Przycupnąwszy na oparciu fotela, Lauren zaczęła się uśmiechać. Arthur doskonale odgrywał komedię, sama zaniepokoiła się, kiedy o mało nie zemdlał w poczekalni.

— Nie zdajesz sobie sprawy z tego, co robisz — szepnęła, gdy podszedł do niego lekarz.

*

Doktor Spacek poprosił, by Arthur udał się z nim do jednej z sal umiejscowionych wzdłuż korytarza, a oddzielonych od sąsiednich zwykłymi zasłonami. Kazał mu się położyć i opisać odczuwany ból, czytając równocześnie kartę zawierającą informacje, których pacjent udzielił pielęgniarce. Chyba wszystko, poza dniem, w którym Arthur stał się mężczyzną, zostało tam zapisane, bo wstępny wywiad do złudzenia przypominał przesłuchanie. Arthur uskarżał się na potworny ból.

— Proszę wskazać, gdzie pana boli? — zapytał lekarz.

— W całym brzuchu — oznajmił, dodając, że czuje się jak zbity pies.

— Poprzestań na tym — poradziła Lauren — bo zarobisz na zastrzyk uspokajający, spędzisz tu całą noc, a rano zafundują ci wlew kontrastowy z barytem, prześwietlenie, gastroskopię i wziernikowanie okrężnicy.

— Żadnych zastrzyków! — wyrwało mu się.

— Nawet nie wspomniałem o zastrzyku — powiedział doktor Spacek, odrywając oczy od karty.

— To prawda, ale wolałem pana uprzedzić. Nie cierpię zastrzyków.

Lekarz zapytał, czy jest z natury nerwowy, a Arthur skinął głową, przyznając się do tej słabości. Spacek poinformował, że teraz przeprowadzi badanie palpacyjne, a zadaniem Arthura jest wskazywać miejsca, w których odczuje ostrzejszy ból. Arthur ponownie skinął głową. Lekarz ułożył dłonie, jedną na drugiej, na brzuchu pacjenta i zaczął obmacywanie.

— Czy tu boli?

— Tak — odparł z wahaniem.

— A tu?

— Nie, tu nic cię nie boli — podpowiedziała uśmiechnięta Lauren.

Arthur natychmiast zaprzeczył — w miejscu uciskanym przez lekarza nie odczuwał bólu.

W ten sposób kierowała jego reakcjami podczas całej wizyty. Lekarz postawił diagnozę — bóle powstawały na tle nerwowym, a pacjent musi przyjmować środki rozkurczowe, które wydadzą mu w aptece szpitalnej. Potrzebna była tylko recepta, którą właśnie wypisywał. Jeszcze tylko dwa uściski dłoni i trzy „dziękuję, panie doktorze", i lekkim krokiem ruszyli poprzez korytarze wiodące do oficyny. Arthur trzymał w ręku trzy różne dokumenty, wszystkie opatrzone logo Memorial Hospital. Jeden był niebieski, drugi różowy, a trzeci zielony. Jeden był receptą, drugi rachunkiem, trzeci kartą wypisu, na której widniała informacja drukowana wielkimi literami: „Karta wypisu", a poniżej, napisane kursywą: *Niepotrzebne skreślić*. Arthur uśmiechał się triumfalnie, nie kryjąc zadowolenia z siebie. Lauren szła obok niego. Objął ją ramieniem.

93

— Tworzymy niezły tandem! — stwierdził.

Po powrocie do domu skopiował trzy dokumenty, posługując się skanerem zainstalowanym przy komputerze. Teraz mógł drukować dowolnie dużo potrzebnych mu papierów, dowolnego koloru i przeznaczenia, opatrzonych logo szpitala.

— Jesteś w tym naprawdę dobry — pochwaliła go Lauren, ujrzawszy wypluwane przez drukarkę kolorowe arkusze z nadrukiem.

— Za godzinę zadzwonię do Paula — poinformował.

— Arthurze, przedtem pomówmy przez chwilę o twoim planie.

Przyznał jej rację. Musiała przecież powiedzieć mu wszystko o procedurze przeniesienia pacjenta do innego szpitala. Ale nie o tym chciała z nim rozmawiać.

— W takim razie o czym?

— Arthurze, twój pomysł naprawdę mnie wzruszył, ale wybacz, jest nierealny, szaleńczy i o wiele za ryzykowny dla ciebie. Jeżeli cię złapią, trafisz do więzienia! Do diabła, w imię czego chcesz się narażać?

— Pamiętaj, że jeśli nie spróbujemy, zawiśnie nad tobą znacznie większe niebezpieczeństwo! Lauren, mamy zaledwie trzy dni!

— Nie możesz tego zrobić, Arthurze, nie mam prawa na to pozwolić. Wybacz.

— Miałem przyjaciółkę, która przepraszała za każde wypowiedziane słowo, a przesadzała tak dalece, że w końcu znajomi nie mieli odwagi zaproponować jej szklanki wody, ponieważ bali się, że zacznie ich przepraszać za to, że chce jej się pić.

— Arthurze, nie udawaj idioty, dobrze wiesz, co mam na myśli! To zwariowany pomysł.

— Sytuacja jest zwariowana, Lauren! Nie mam innego wyjścia.

— Nie pozwolę, żebyś tak bardzo się dla mnie narażał!

94

— Pomóż mi, zamiast marnować cenny czas. Gra toczy się o twoje życie.

— Musi być jakieś inne rozwiązanie.

Arthur widział tylko jedno wyjście — należało pomówić z matką Lauren i nakłonić ją do zmiany decyzji, ale było to przedsięwzięcie trudne do realizacji. Nigdy się nie poznali, toteż wydawało się mało prawdopodobne, żeby przystała na spotkanie. Lauren była przekonana, że matka nie zechce nawet rozmawiać z nieznajomym. Mógł podać się za przyjaciela jej córki, ale, zdaniem Lauren, znająca wszystkich jej bliższych kolegów pani Kline raczej by mu nie uwierzyła. Pewną szansę dawało przypadkowe spotkanie gdzieś, gdzie zwykła bywać. Pozostawało wybrać najbardziej dogodne miejsce.

Lauren zamyśliła się na chwilę.

— Co rano wychodzi z psem do Mariny — powiedziała.

— Dobrze, ale i ja musiałbym iść tam z psem.

— Dlaczego?

— Bo jeśli będę trzymał smycz bez psa, nie pozyskam zaufania twojej matki.

— Możesz po prostu biegać.

Pomysł spodobał mu się. Wystarczy, że biegnąc ścieżką w porze spaceru Kali, zachwyci się suczką i pogłaszcze ją, a potem, jak to często bywa w tego rodzaju sytuacjach, nawiąże rozmowę z panią Kline. Uznał, że nie zaszkodzi spróbować i postanowił uczynić to już nazajutrz. Wczesnym rankiem ubrał się w kremowe płócienne spodnie i koszulkę polo. Przed wyjściem poprosił Lauren, by mocno się do niego przytuliła.

— Co cię napadło? — zapytała, wyraźnie speszona.

— Nie mam czasu na wyjaśnienia, to dla psa.

Spełniła życzenie Arthura, oparła głowę na jego ramieniu i westchnęła.

— Doskonale — oznajmił tonem człowieka interesu, uwalniając się z jej objęć. — Pędzę, bo mi uciekną.

Wybiegł z domu w pośpiechu, nie tracąc nawet chwili na krótkie „do widzenia". Kiedy zamknęły się za nim drzwi, Lauren wzruszyła ramionami i westchnęła: Bierze mnie w ramiona ze względu na psa...

*

Gdy Arthur zaczynał jogging, Golden Gate drzemał jeszcze, otulony kołderką utkaną z gęstej mgły. Tylko szczyty dwóch filarów czerwonego mostu przebijały się przez mleczną powłokę. Morze zamknięte w zatoce było spokojne, mewy jak co rano zataczały szerokie kręgi w poszukiwaniu ryb, rozległe trawniki u nabrzeży były jeszcze zroszone, a cumujące w porcie statki łagodnie kołysały się na falach. Wokół panowała cisza, a nieliczni amatorzy biegów cieszyli się wilgotnym chłodem budzącego się dnia. Za kilka godzin wielkie słońce zawiśnie nad zboczami Sausalito i rozpędzi mgły osłaniające czerwony most.

Z daleka zobaczył kobietę idealnie przystającą do rysopisu podanego przez Lauren. Kali biegła o kilka kroków od niej. Pani Kline była pogrążona w myślach i wydawało się, że dźwiga na barkach brzemię ponad jej siły.

Mijając Arthura, suczka zatrzymała się nagle. Zachowywała się nieswojo, węszyła wokół, poruszając nosem i kręcąc łbem. Zbliżyła się do niego, obwąchała dół jego nogawek i natychmiast, skamląc cichutko, ułożyła się u stóp nieznajomego. Poczęła zapamiętale merdać ogonem, dosłownie drżała z radości i podniecenia. Arthur przykląkł i delikatnie gładził jej sierść, pies ochoczo lizał go po rękach, popiskując coraz częściej i coraz głośniej. Matka Lauren podeszła, ze zdumieniem przypatrując się tej scence.

— Znacie się? — zapytała.

— Dlaczego pani tak uważa? — odpowiedział pytaniem i wstał.

— Zazwyczaj jest bardzo nieufna. Nikt nie może się do niej zbliżyć, a tymczasem do pana najwyraźniej lgnie.

— Nie wiem, być może. Jest uderzająco podobna do suki mojej przyjaciółki, bardzo bliskiej przyjaciółki.

— Tak? — podchwyciła pani Kline, której serce waliło jak młot.

Suczka siedziała u stóp Arthura i zaczepiała go, drapiąc łapą.

— Kali! — skarciła ją matka Lauren — zostaw pana w spokoju.

Arthur wyciągnął rękę i przedstawił się, a starsza pani po chwili wahania podała mu dłoń. Zachowanie psa wprawiło ją w zdumienie. Przepraszała za natręctwo zwierzęcia.

— Nic się przecież nie stało, przepadam za zwierzętami, a ona jest niezwykle miła.

— Na ogół to dzikuska. Tymczasem reaguje, jakby dobrze pana znała.

— Psy zawsze do mnie lgnęły, chyba po prostu czują, kto je lubi. Pani suczka ma śliczny łebek.

— To najprawdziwszy bastard, pół seter, pół labrador.

— Aż trudno uwierzyć, że istnieje pies tak uderzająco podobny do suczki Lauren.

Pani Kline pobladła, bliska omdlenia, rysy jej twarzy gwałtownie się wyostrzyły.

— Dobrze się pani czuje? — zapytał Arthur, chwytając ją za rękę.

— Zna pan moją córkę?

— To pies Lauren?! Pani jest jej matką?

— Znał ją pan?

— Tak, i to dobrze, byliśmy bliskimi przyjaciółmi.

Nigdy o nim nie słyszała. Pragnęła dowiedzieć się, jak poznał jej córkę. Powiedział, że jest architektem i że po raz pierwszy spotkał Lauren w szpitalu. Zszywała mu paskudną ranę po drobnym wypadku motocyklowym. Polubili się i często się spotykali. Czasami wpadał, żeby zjeść z nią obiad w szpitalnej kantynie, zdarzało im się umówić na kolację, ale rzadko bywała wolna wczesnym wieczorem.

— Lauren nigdy nie miała czasu na obiady i zawsze wracała późno.

Arthur spuścił głowę i milczał.

— W każdym razie Kali chyba naprawdę dobrze pana zna.

— Przykro mi z powodu tego, co się stało. Dość często zaglądałem do niej po wypadku.

— Ale nigdy się na pana nie natknęłam.

Zaproponował, by razem pospacerowali. Kiedy szli wzdłuż brzegu, Arthur odważył się zapytać, co dzieje się z Lauren, której już od pewnego czasu nie odwiedzał. Pani Kline powiedziała, że stan jej córki nie ulega zmianie, to zaś przekreśla właściwie wszelkie nadzieje na wyzdrowienie. Nie wspomniała o podjętej ostatnio decyzji, ale opisywała sytuację w słowach, które zdawały się jej samej pomagać w rozwianiu złudzeń. Po chwili milczenia Arthur rozpoczął mowę obrończą. Bronił prawa do nadziei. Lekarze nie zgłębili do końca fenomenu komy, argumentował. Pogrążeni w śpiączce ludzie słyszą, co przy nich mówimy... Niektórzy przebudzili się po siedmiu latach... Życie to największy skarb i świętość, skoro więc tli się wbrew wszelkiej logice, musimy uznać to za dany nam znak, przekonywał. Powołał się nawet na autorytet Boga, który jako jedyny ma prawo stanowić o życiu i śmierci. Pani Kline zatrzymała się w pół kroku i popatrzyła mu prosto w oczy.

— Nieprzypadkowo znalazł się pan dzisiaj w tym miejscu. Kim pan jest? Czego pan ode mnie chce?

— Po prostu wybrałem się na spacer, a jeżeli uważa pani, że nasze spotkanie nie jest przypadkowe, to może sama poszuka pani odpowiedzi na pytanie o jego przyczynę. Nie tresowałem psa Lauren, nie uczyłem go, żeby do mnie przybiegał bez wezwania.

— Czego pan ode mnie chce? Jakim prawem rzuca mi pan w twarz te jednoznaczne opinie o życiu i śmierci? Cóż pan o tym wie, nie ma pan pojęcia, co znaczy być przy niej dzień w dzień, patrzeć na jej nieruchome ciało, na zamknięte powieki, które nawet nie drgną, zobojętniałą wobec świata twarz...

W porywie gniewu opisywała dnie i noce, które przesiedziała przy łóżku córki, przemawiając do niej w bezsensownej wierze, że Lauren coś słyszy, o swoim życiu, które nie istniało, od dnia wypadku, o wyczekiwaniu na telefon ze szpitala informujący, że to już koniec. Przecież to ona dała Lauren życie. Przez lata dzieciństwa budziła ją co rano, ubierała i odprowadzała do szkoły, co wieczór otulała ją kołdrą i opowiadała bajkę. Dzieliła każdą jej radość, wspierała, kiedy działo się coś złego.

— Kiedy była dorastającą dziewczyną, znosiłam jej nieuzasadnione wybuchy złości, byłam jej przyjaciółką, kiedy zaczął się czas pierwszych miłostek, pracowałam po nocach na jej studia, pomagałam w przygotowaniach do egzaminów. Potrafiłam się usunąć, kiedy było trzeba, i musi pan wiedzieć, że odczuwałam jej brak wówczas, kiedy żyła pełnią życia, tuż obok. Co rano, odkąd Lauren przyszła na świat, budziłam się, myśląc o niej, i zasypiałam, myśląc o niej...

Pani Kline przerwała, gdy zduszony szloch ścisnął jej gardło. Arthur ujął ją pod rękę i zaczął przepraszać.

— Nie mam już siły — wyszeptała z trudem. — Proszę mi wybaczyć. Niech pan już idzie, nie powinnam była wdawać się w tę rozmowę.

Arthur raz jeszcze przeprosił, pogłaskał Kali po łbie i odszedł wolnym krokiem. Wsiadł do samochodu i odjeżdżając, zobaczył w lusterku wstecznym matkę Lauren, która stała, patrzyła w ślad za nim. Kiedy wszedł do mieszkania, Lauren stała na niskim stołku.

— Co ty wyprawiasz?

— Trenuję.

— Widzę.

— Jak ci poszło?

Zdał jej szczegółową relację z rozmowy, wyraźnie rozczarowany, że nie zdołał skłonić pani Kline do zmiany stanowiska.

— Miałeś niewielkie szanse. Ona nigdy nie zmienia zdania, jest uparta jak muł.

— Nie osądzaj jej tak surowo, przechodzi katusze.

— Byłbyś wspaniałym zięciem.

— Co kryje się za tą ostatnią uwagą?

— Nic. Po prostu należysz do uwielbianego przez teściowe gatunku mężczyzn.

— Głosisz tu jakąś kuchenną filozofię. Poza tym bez potrzeby odbiegasz od tematu.

— Rzeczywiście, to nas nie dotyczy. Przecież zostałbyś wdowcem, zanimbyś się ożenił.

— Co usiłujesz mi przekazać tym zgorzkniałym tonem?

— Nic. Nie mam ci nic do powiedzenia. Lepiej pójdę popatrzeć na ocean, póki jeszcze mogę.

Zniknęła nagle, zostawiając zmieszanego Arthura w pustym domu. Co się z nią dzieje?, powiedział półgłosem. Potem usiadł przy stole kreślarskim, włączył komputer i zaczął pisać raport. Podjął decyzję po drodze, w samochodzie, kiedy wracał z Mariny. Nie pozostała im przecież żadna inna możliwość, a czas naglił. W poniedziałek lekarze mieli „uśpić" Lauren. Sporządził listę rzeczy, które były mu potrzebne do realizacji projektu. Wydrukował spis i podniósł słuchawkę, żeby zadzwonić do Paula.

— Muszę się z tobą jak najszybciej zobaczyć.

— Czyżbyś wrócił z wyprawy do krainy baśni?

— To pilne, potrzebuję twojej pomocy, Paul.

— Gdzie się spotkamy?

— Gdzie tylko zechcesz!

— Wpadnij do mnie.

Pół godziny po tej rozmowie Arthur witał się z Paulem. Usiedli na kanapach w salonie.

— Co to za sprawa?

— Musisz wyświadczyć mi przysługę, nie zadając żadnych pytań. Chcę, żebyś mi pomógł w porwaniu ciała ze szpitala.

— Piszesz teraz kryminały? Po zjawie przyszedł czas na serię o trupach? Jeżeli nie zamierzasz szybko zmienić zainteresowań, zapiszę ci moje zwłoki, bo chyba wkrótce będą do wzięcia!

— Nie chodzi o trupa.

— A więc o co? O pacjenta w doskonałym zdrowiu?

— Paul, to bardzo poważna sprawa. Mam mało czasu.

— I mam cię o nic nie pytać?

— I tak nie zdołałbyś zrozumieć odpowiedzi.

— Uważasz, że jestem za głupi?

— Nikt nie zdołałby uwierzyć w to, co mi się przydarzyło.

— Może jednak spróbuję.

— Musisz mi pomóc w wywiezieniu ciała kobiety, która zapadła w śpiączkę i w poniedziałek ma zostać poddana eutanazji. Nie chcę, żeby do tego doszło.

— Zakochałeś się w kobiecie, która jest w śpiączce? To była ta twoja historia z duchem?

Arthur odpowiedział krótkim: „Aha, aha", Paul westchnął głęboko i odchylając głowę do tyłu, wtulił się w oparcie kanapy.

— Z taką bujdą zapłacisz psychoanalitykowi po dwa tysiące dolarów za każdą sesję. Dobrze to przemyślałeś, jesteś naprawdę zdecydowany?

— Zrobię to, z twoją pomocą albo bez niej.

— Masz upodobanie do prostych spraw!

— Nie chciałbym, żebyś czuł się do czegokolwiek zobowiązany, pamiętaj o tym.

— Pamiętam. Przez trzy tygodnie nie dajesz znaku życia, nagle wpadasz, wyglądasz jak przybysz z zaświatów, prosisz, żebym narażał się na dziesięć lat więzienia za pomoc w porwaniu ciała ze szpitala, więc chyba zacznę się modlić do Pana Boga, żeby przemienił mnie w dalajlamę. To moja jedyna nadzieja. Czego chcesz?

Arthur przedstawił mu plan porwania i powiedział, czego oczekuje. Chodziło mu przede wszystkim o ambulans, który Paul miałby wypożyczyć z warsztatu ojczyma.

— W dodatku mam w to wplątać męża mojej matki! Cieszę się, że jesteś moim przyjacielem, w przeciwnym razie umarłbym z nudów.

— Wiem, że proszę o wiele.

— O nie, nie masz pojęcia, czego ode mnie żądasz. Na kiedy ci to potrzebne?

Arthur musiał mieć ambulans nazajutrz wieczorem. Zaplanował akcję na dwudziestą trzecią i chciał, żeby Paul przyjechał po niego pół godziny wcześniej. Obiecał zadzwonić wczesnym rankiem i ostatecznie uzgodnić wszelkie szczegóły. Serdecznie uścisnął Paula, dziękując mu za wsparcie, ale ten, pogrążony w myślach, odprowadził go do samochodu, prawie się nie odzywając.

— Jeszcze raz dziękuję — powiedział Arthur, wychylając głowę przez okno.

— Po to ma się przyjaciół, może zresztą zrewanżujesz mi się pod koniec miesiąca, kiedy postanowię opiłować pazury mieszkającemu w górach misiowi grizzly. Nie omieszkam zwrócić się z tym do ciebie. Ale teraz już znikaj, bo masz chyba jeszcze mnóstwo spraw do załatwienia.

Samochód minął skrzyżowanie i zniknął, a Paul wzniósł ręce ku niebu i zwracając się do Boga, krzyknął na całe gardło: Dlaczego musiało się to przytrafić właśnie mnie! Przez parę chwil w milczeniu wpatrywał się w gwiazdy, ponieważ jednak nikt nie spieszył z odpowiedzią na to rozpaczliwe pytanie, wzruszył ramionami i szepnął: Oczywiście, wiem! A dlaczego miałoby się nie przydarzyć właśnie mnie?

Przez resztę dnia Arthur biegał od apteki do apteki, od ambulatorium do ambulatorium i zapełniał bagażnik samochodu. Kiedy wrócił do domu, Lauren spała w jego łóżku, zwinięta w kłębek. Ostrożnie przysiadł obok niej i przesunął ręką tuż nad jej włosami, ale nawet ich nie musnął. Potem szepnął: Nareszcie możesz spać. Jesteś naprawdę piękna.

Potem wstał tak samo ostrożnie, jak siadał, i wrócił do salonu, żeby zająć miejsce przy rajzbrecie. Gdy tylko wyszedł, Lauren otwarła oczy i uśmiechnęła się przebiegle. Arthur tymczasem zabrał się do wypełniania formularzy, które wydrukował w przeddzień. Zostawiwszy niektóre rubryki wolne, włożył wszystkie dokumenty do teczki. Potem narzucił kurtkę i zszedł do samochodu. Pojechał pod szpital, zatrzymał się na parkingu przed izbą przyjęć, zostawił otwarte drzwi i wśliznął się do środka. Nie zauważył kamery, która rejestrowała to, co dzieje się w hallu. Szedł korytarzem aż do ogromnej sali, która pełniła rolę jadalni. Jego wędrówkę przerwał głos pielęgniarki dyżurnej:

— Co pan tu robi?

— Chcę zrobić niespodziankę dawnej przyjaciółce, która tu pracuje. Prawdopodobnie siostra ją zna, to Lauren Kline.

Pielęgniarka zaniemówiła na moment.

— Dawno się państwo nie widzieli?

— Co najmniej od pół roku!

Podał się za fotoreportera i powiedział, że właśnie wrócił z Afryki i pragnął przywitać się z przyjaciółką.

— Jesteśmy sobie bardzo bliscy. Czyżby Lauren już tu nie pracowała?

Pielęgniarka, jakby nie słysząc tego pytania, poprosiła, żeby poszedł do rejestratorki, która udzieli mu wszelkich informacji. Z przykrością poinformowała go, że tu nie znajdzie Lauren Kline. Arthur udał zaniepokojenie i zapytał, czy coś się stało. Wyraźnie zafrasowana pielęgniarka ponownie poprosiła, aby udał się do recepcji szpitalnej.

— Czy muszę wyjść z budynku?

— W zasadzie tak, ale wówczas musiałby pan okrążyć cały szpital...

I udzieliła mu wskazówek, dzięki którym mógł dotrzeć do recepcji wewnętrznymi korytarzami. Pożegnał się z nią i podziękował. Nadal sprawiał wrażenie zaniepokojonego i trzeba podkreślić, że grał swą rolę naprawdę dobrze. Gdy znalazł się poza zasięgiem wzroku pielęgniarki, począł przemierzać korytarze i wędrował tak, dopóki nie znalazł tego, po co tu przybył. Przez uchylone drzwi jednego z pokoi zauważył dwa wiszące na wieszaku białe kitle. Wszedł, zabrał je, zwinął w kłębek i ukrył pod kurtką. W którejś z kieszeni wyczuł twardy kształt. Wsunął do niej rękę i natrafił na stetoskop. Szybkim krokiem wyszedł na korytarz i stosując się do wskazówek pielęgniarki dyżurnej, dotarł do głównego wejścia szpitala. Okrążył budynek, wsiadł do zaparkowanego przed izbą przyjęć samochodu i wrócił do domu. Lauren, która siedziała przy komputerze, krzyknęła, nie czekając nawet, aż wejdzie do salonu:

— Oszalałeś z kretesem!

Bez słowa wyjaśnień podszedł do biurka i rzucił na nie fartuchy.

— Czyś ty kompletnie zwariował!? Chyba nie zaparkowałeś ambulansu w garażu?

— Paul przyjedzie nim jutro około wpół do jedenastej, żeby mnie zabrać.

— Skąd je wziąłeś?

— Z twojego szpitala.

— Jak ty to wszystko robisz? Czy ktoś jest w stanie powstrzymać cię przed realizacją tego, co zamierzyłeś? Pokaż mi identyfikatory na kitlach.

Arthur rozłożył fartuchy, ubrał się w większy i obrócił jak model prezentujący kreację na pokazie.

— I jak ci się podobam?

— Ukradłeś kitel Bronswicka!

— A kto to taki?

— Sławny kardiolog. Jutro w szpitalu zapanuje nerwowa atmosfera. Już widzę, jak czytają wszystkie zapiski z dyżuru, słowo po słowie. Oblepią ściany ostrzeżeniami przed plagą kradzieży. Szef ochrony oberwie po uszach za twój wybryk. Wybrałeś najbardziej zgryźliwego i skłonnego do awantur, najbardziej nadętego spośród lekarzy Memorialu.

— Jakie jest prawdopodobieństwo, że ktoś mnie rozpozna?

Tym razem uspokajała go, podkreślając, że ryzyko jest minimalne i musiałby mieć wyjątkowego pecha, by natknąć się na kogoś, kto zauważy podstęp, ponieważ w szpitalu pracują trzy różne ekipy — dzienna, niedzielna i nocna. W zasadzie więc nie mógł natknąć się na współpracowników Bronswicka. W niedzielny wieczór był to zupełnie inny szpital, inni ludzie, panowała tu też odmienna atmosfera.

— Zobacz, zdobyłem nawet stetoskop.

— Załóż go na szyję!

Wypełnił jej polecenie.

— Ponętny z ciebie lekarz! — zauważyła pełnym czułości, bardzo kobiecym tonem.

Arthur zaczerwienił się z lekka. Wzięła go za rękę i delikatnie ją pieściła. Potem, patrząc mu w oczy, dodała miękkim głosem:

— Dziękuję za wszystko, co dla mnie zrobiłeś i robisz. Nigdy dotąd nikt się o mnie tak nie troszczył.

— Dlatego musiał wreszcie pojawić się Zorro!

Kiedy wstała, jej twarz znalazła się tuż obok twarzy Arthura. Spojrzeli na siebie. Arthur chwycił ją w ramiona, położył dłoń na jej głowie i mocno przytulił.

— Musimy teraz wszystko przygotować — powiedział. — Czas, żebym wziął się do pracy.

I odszedł, by usiąść za biurkiem, a ona patrzyła na niego ze wzruszeniem, potem zaś cichutko wycofała się do sąsiedniego pokoju, zostawiając otwarte drzwi. Arthur pracował do późnej nocy, przerywając tylko na chwilę, by coś przegryźć. Siedział przy komputerze, wypełniając formularze i robiąc notatki, pochłonięty bez reszty przygotowaniami. Gdy usłyszał, że włączył się telewizor, zapytał pełnym zdumienia głosem:

— Jak to zrobiłaś?

Nie odpowiedziała. Wstał, przeszedł przez salon i zajrzał do sypialni, zatrzymując się w drzwiach. Zobaczył, że Lauren leży w łóżku na brzuchu. Oderwała oczy od ekranu i uśmiechnęła się zadowolona z siebie. Odwzajemniwszy uśmiech, wrócił do komputera. Kiedy nabrał pewności, że dziewczynę pochłonęło oglądanie filmu, wstał i podszedł do sekretarzyka. Wyjął z niego pudełko, które postawił na biurku. Długo na nie patrzył, nim zdecydował się je otworzyć. Było to duże, sześciokątne pudło po butach, okryte tkaniną, która spłowiała ze starości. Westchnął głęboko i podniósł pokrywkę. Wewnątrz znajdowała się paczka listów przewiązanych konopnym sznurkiem. Sięgnął po kopertę znacznie grubszą od pozostałych i otworzył ją. Wypadły z niej stare klucze i list. Chwyciwszy klucze w locie, zaczął obracać je w ręku i uśmiechnął się do siebie. Nie czytając listu, wsunął go do kieszeni marynarki, gdzie schował również klucze. Potem odłożył pudło na miejsce i znów usiadł przy biurku, aby wydrukować plan działania. W końcu wyłączył komputer i wszedł do sypialni. Lauren siedziała przy łóżku, oglądając jakąś operę mydlaną. Rozpuściła włosy. Sprawiała wrażenie spokojnej, jakby wyciszonej.

— Przygotowałem wszystko, co można było przygotować — oznajmił.

— Zapytam raz jeszcze — dlaczego to robisz?

— Czy ma to jakiekolwiek znaczenie? Czemu chciałabyś wszystko wiedzieć?

— Po prostu.

Zniknął w łazience. Słysząc szum wody, delikatnie pogładziła dywan. Pod dotykiem jej ręki włókna unosiły się, naelektryzowane. Po chwili zobaczyła ubranego w szlafrok Arthura.

— Muszę już iść spać, chcę być jutro naprawdę wypoczęty.

Podeszła i pocałowała go w czoło.

— Dobranoc, do zobaczenia jutro — powiedziała i wyszła z pokoju.

*

Kolejny dzień upływał im w leniwym rytmie niedzieli. Minuty mijały wolniej, słońce bawiło się w chowanego z chmurami. Niewiele ze sobą rozmawiali. Od czasu do czasu przypatrywała mu się, pytała, czy na pewno chce kontynuować tę grę, on jednak pomijał te pytania milczeniem. Wczesnym popołudniem wybrali się na przechadzkę nad ocean.

— Chodź, dojdźmy nad samą wodę, chciałbym ci coś powiedzieć.

Zanim zaczął, objął ją mocno ramieniem. Podeszli najbliżej jak można do piaszczystego brzegu, o który rozbijały się fale.

— Przypatrz się dobrze wszystkiemu, co nas otacza — wzburzonej wodzie i drwiącej sobie z tej złości ziemi, górom, które spoglądają z wysoka na nas, na morze i ziemię, drzewom, światłu, które bawi się przez całe dnie, w każdej minucie zmieniając natężenie i odcień barw, ptakom fruwającym nad naszymi głowami, rybom, które nie chcą paść ofiarą mew, a same polują na inne ryby. W świecie panuje harmonia dźwięków — szumu fal, wiatru, piasku, a pośród tego zadziwiającego koncertu życia i martwej natury jesteśmy my — ty, ja i wszyscy ludzie. Ilu spośród nich dostrzeże kiedykolwiek to, co opisałem? Ilu uświadamia sobie każdego ranka, że dany im jest przywilej budzenia się ze snu, widzenia, czucia zapachów, dotykania, słyszenia, doznawania wrażeń? Ilu z nas potrafi, choćby na chwilę, zapomnieć o własnych problemach i poddać się czarowi fantastycznego spektaklu świata? Wydaje mi się, że najgłębszy brak świadomości, jaki występuje u człowieka, to nieświadomość własnego życia. Ty zdajesz sobie z tego wszystkiego sprawę, ponieważ znalazłaś się w niebezpieczeństwie i dlatego stałaś się wyjątkową istotą — żeby żyć, potrzebujesz innych i nie masz już wyboru. Chcę odpowiedzieć na pytanie, które zadajesz mi od wielu dni. Wiedz, że jeżeli nie podejmę ryzyka, całe to piękno, cała siła, wszelka żywa materia staną się dla ciebie już na zawsze niedostępne. Robię to, ponieważ próba przywrócenia cię światu, a raczej przywrócenie cię światu, nadaje sens mojemu życiu. Jak często życie dostarcza mi okazji, by uczynić coś równie ważnego?

Lauren nie odezwała się ani słowem. Po chwili spuściła oczy i zapatrzyła się w ziarnka piasku. Szli tak, ramię przy ramieniu, aż do samochodu.

9

O dziesiątej wieczorem Paul zatrzymał ambulans na parkingu przed domem Arthura, a po chwili zadzwonił do drzwi.

— Jestem gotów — powiedział. Arthur podał mu torbę.

— Włóż kitel i okulary. To zwykłe szkła.

— Może przykleisz mi jeszcze sztuczną brodę?

— Wyjaśnię ci wszystko po drodze. Chodź, musimy jechać, by dotrzeć tam tuż przed końcem zmiany. Personel przejmuje obowiązki dokładnie o jedenastej. Lauren, pojedziesz z nami, będziesz nam potrzebna.

— Mówisz do ducha? — zapytał Paul.

— Do kogoś, kto jest z nami, chociaż ty go nie widzisz.

— Czy to wszystko jest głupim żartem, czy rzeczywiście zwariowałeś, Arthurze?

— Ani jedno, ani drugie. Nie warto trwonić czasu na tłumaczenie czegoś, czego nie sposób zrozumieć.

— Najlepiej byłoby, gdybym zamienił się teraz w tabliczkę czekolady. W sreberku czas płynąłby mi szybciej i na pewno nie denerwowałbym się tak bardzo.

— To też jakieś wyjście. Dobra, pospiesz się.

I obaj, przebrani jeden za lekarza, drugi za sanitariusza, wyszli na parking.

— Czy to wojskowy ambulans z demobilu?

— Wybacz, wziąłem, co było. Jeżeli zamierzasz zgłaszać jakieś uwagi i pretensje, to uprzedzam, że nie będę słuchał. Ja chyba oszaleję!

— Żartowałem, wóz jest w porządku.

Paul siadł za kierownicą, Arthur zajął miejsce obok niego, Lauren wcisnęła się pomiędzy nich.

— Jedziemy na sygnale i z włączonym kogutem, panie doktorze?

— Bądźże raz poważny!

— Daruj, stary, ale jeżeli na serio potraktuję fakt, że siedzę w kradzionym ambulansie, którym mam przewieźć trupa, którego razem z przyjacielem ukradnę ze szpitala, to pewnie się ocknę i diabli wezmą cały twój plan. Dlatego postaram się być tak niepoważny, jak tylko potrafię, i mam nadzieję, że będę wystarczająco długo trwał w przekonaniu, że to sen graniczący z koszmarem. Nawiasem mówiąc, ta zabawa ma swoje dobre strony — niedzielne wieczory bywają zwykle monotonne, a tym razem doznaję dreszczyku emocji.

Lauren roześmiała się.

— Ciebie to bawi?

— Może przestałbyś wreszcie mówić do siebie!

— Nie mówię do siebie.

— Jasne, z tyłu siedzi duch! W takim razie nie konwersuj z nim, bo to mnie drażni.

— To ona!

— Co ona?

— To kobieta! I słyszy każde twoje słowo!

— Może podzielisz się i ze mną tym, co po cichu mamroczesz.

— Jedź!

— Zawsze tak się zachowujecie? — zapytała Lauren.

— Często.

— Co często? — zainteresował się Paul.

— Nic do ciebie nie mówiłem.

Paul zahamował gwałtownie.

— Co ty wyprawiasz?

— Skończ z tym! Przysięgam, że to mnie wkurza!

— Co takiego?

— Co takiego? — powtórzył Paul, wykrzywiając się. — Twoje wygłupy i gadanie do siebie.

— Paul, powtarzam, że nie mówię do siebie. Rozmawiam z Lauren. Proszę, zaufaj mi.

— Arthurze, ty naprawdę jesteś stuknięty. Trzeba natychmiast przerwać tę grę, potrzebujesz fachowej pomocy.

Tym razem Arthur podniósł głos, zwracając się do przyjaciela.

— Czy rzeczywiście wszystko trzeba ci powtarzać dwa razy?! Do diabła, przecież proszę tylko, żebyś okazał mi odrobinę zaufania!

— Jeżeli naprawdę chcesz, żebym ci uwierzył, wyjaśnij mi natychmiast całą tę historię! — wrzasnął Paul. — Uświadom sobie, że sprawiasz wrażenie obłąkanego, robisz szalone rzeczy, gadasz sam do siebie, wierzysz w duchy czy inne zjawy i wciągasz mnie w jakieś kretyńskie tarapaty!

— Błagam cię, jedź już. Spróbuję ci to jakoś wytłumaczyć, a ty postaraj się zrozumieć.

I kiedy ambulans przemierzał miasto, Arthur wyjaśniał staremu przyjacielowi coś, czego nie można było wyjaśnić. Opowiedział mu o wszystkim, co wydarzyło się od pierwszej chwili, od spotkania z dziewczyną z szafy, aż po ten wieczór. Zapominając na chwilę o obecności Lauren, mówił o niej, o jej spojrzeniu, o jej życiu i wątpliwościach, o sile, o rozmowach, jakie toczyli, o słodyczy spędzonych razem chwil, o tym, jak się sprzeczali. W pewnym momencie Paul przerwał te wynurzenia.

— Jeżeli ona tu rzeczywiście jest, to wpadłeś jak śliwka w kompot, staruszku.

— Dlaczego?

— Bo właśnie poczyniłeś jednoznaczne wyznanie!

Paul odwrócił się, żeby zerknąć na przyjaciela, po czym mówił dalej, uśmiechając się triumfalnie:

— Tak czy inaczej, wierzysz w to, o czym mi opowiedziałeś.

— Oczywiście, że w to wierzę. Skąd ta uwaga?

— Ponieważ naprawdę się zaczerwieniłeś. Nigdy dotąd nie widziałem cię w pąsach. — I ciągnął dalej, błaznując: — Pani, której ciało uprowadzimy, jeżeli tu z nami jesteś, zapewniam cię, że mój kumpel darzy cię tak szczerym uczuciem, jakiego nigdy dotąd u niego nie stwierdziłem.

— Zamknij się i jedź!

— Postanowiłem uwierzyć w twoją historyjkę, ponieważ jesteś moim przyjacielem i nie pozostawiasz mi wyboru. Powiedz, czym byłaby przyjaźń, gdyby nie chciała dzielić chwil szaleństwa i ułudy? Jesteśmy na miejscu, oto twój szpital.

— Jak Abott i Costello* — podsumowała ich rozmowę rozpromieniona Lauren, która od dłuższej chwili przysłuchiwała się im w milczeniu.

— Co mam teraz robić?

— Podjedź pod wyjście izby przyjęć i zaparkuj z włączonym kogutem.

Wszyscy troje wysiedli i podeszli do rejestracji, gdzie powitała ich pielęgniarka.

— Kogo nam przywieźliście? — zapytała.

— Nikogo, za to kogoś wam zabierzemy — oznajmił Arthur tonem nieznoszącym sprzeciwu.

— A kogo?

Podał się za doktora Bronswicka i poinformował ją, że przejmuje opiekę nad swoją pacjentką, niejaką Lauren Kline, która musi zostać przewieziona do jego kliniki jeszcze dziś wieczorem. Pielęgniarka poprosiła o przedstawienie stosownych dokumentów, Arthur wręczył jej plik papierów. Skrzywiła się, nie kryjąc niezadowolenia. Że też musieli przyjechać tuż przed końcem zmiany! Spędzą tu co najmniej pół godziny, a ona schodzi z dyżuru za pięć minut. Arthur przeprosił za kłopot — wcześniej musieli zająć się innymi pacjentami.

_____

* Abott i Costello — sławny amerykański duet komików.

111

— Mnie również jest przykro — burknęła. Dowiedzieli się od niej, że pacjentka leży w pokoju 505 na piątym piętrze. Pielęgniarka powiedziała, że podpisane dokumenty zostawi na siedzeniu ambulansu, a wychodząc, uprzedzi zmienniczkę o przewozie chorej. Doprawdy, nie powinno się dokonywać transferów o tej porze! Arthur nie był w stanie powściągnąć języka i odparł, że żadna pora nie byłaby stosowna, zawsze bywa albo za wcześnie, albo za późno. Zniecierpliwiona pielęgniarka wskazała im drogę.

— Pójdę po nosze — wtrącił Paul, żeby położyć kres tej wymianie zdań, która mogła skończyć się sprzeczką. — Znajdę pana na górze!

Niechętnie zaproponowała im swą pomoc, ale Arthur podziękował, nie widząc takiej potrzeby, poprosił natomiast, żeby wyjęła historię choroby Lauren i zaniosła ją wraz z innymi papierami do samochodu.

— Historia choroby zostaje u nas. Powinien pan wiedzieć, że prześlemy ją pocztą — obruszyła się.

I nagle jakby ogarnęły ją wątpliwości.

— Wiem, siostro — odparł Arthur bez wahania. — Miałem na myśli tylko ostatnie wyniki, morfologię, OB, gazometrię, hematokryt, jonogram.

— Świetnie sobie radzisz — stwierdziła Lauren. — Gdzie się tego wszystkiego nauczyłeś?

— Widziałem parę filmów — szepnął.

Te wyniki mógł przejrzeć w pokoju. Pielęgniarka zaproponowała, że pójdzie tam z nim. Arthur podziękował jej, uznając, że powinna zakończyć dyżur zgodnie z planem, doskonale bowiem poradzi sobie bez niej. Przecież była niedziela, a zmęczona całym dniem pracy miała pełne prawo do wypoczynku. Paul, który właśnie wrócił z noszami, ujął kolegę za rękę i szybko poprowadził szpitalnym korytarzem. Cała trójka wjechała windą na piąte piętro. Kiedy otwierały się drzwi, Arthur powiedział, zwracając się do Lauren:

— Jak dotąd, idzie nam całkiem nieźle.

— Tak! — przytaknęli chórem Lauren i Paul.

— Mówiłeś do mnie? — upewnił się na wszelki wypadek Paul.

— Do was obojga.

Z jednej z sal wybiegł przerażony praktykant. Kiedy zrównał się z nimi, zatrzymał się nagle, rzucił okiem na kitel Arthura i chwycił go za ramię.

— Pan jest lekarzem? — rzucił. Pytanie zaskoczyło Arthura.

— Nie, tak, tak, a o co chodzi?

— Proszę ze mną, mam problem z pięćset osiem, Bogu dzięki, że pan się pojawił!

Student medycyny zawrócił biegiem do pokoju, który przed chwilą opuścił.

— Co teraz? — zapytał spanikowany Arthur.

— Mnie o to pytasz? — odparł równie przerażony Paul.

— Nie, pytam Lauren!

— Idziemy tam, nie mamy wyboru, pomogę ci — powiedziała.

— Idziemy, przecież nie mamy wyboru — powtórzył Arthur.

— Jak to, idziemy? Nie jesteś lekarzem, lepiej skończ z tym szaleństwem, zanim kogoś uśmiercimy!

— Lauren nam pomoże.

— Cóż, skoro ona nam pomoże! — szepnął Paul, rozkładając ręce. — Ale dlaczego ja? Dlaczego właśnie ja!?

Wszyscy troje weszli do pokoju 508. Student stał przy łóżku chorego, pielęgniarka czekała na jego polecenia, on zaś z przerażeniem patrzył na Arthura, mówiąc:

— Ma arytmię serca, od dawna choruje na cukrzycę, nie mogę sobie z tym poradzić, jestem dopiero na trzecim roku!

— Facet wpadł, ale co to nas obchodzi — powiedział Paul.

Tymczasem Lauren podszepnęła Arthurowi:

— Urwij papierową taśmę, która wysuwa się z aparatu monitorującego pracę serca, i udawaj, że odczytujesz zapis, trzymaj tak, żebym mogła go odczytać.

— Proszę zapalić światła — polecił Arthur.

Mijając łóżko, podszedł do elektrokardiografu i wprawnym gestem urwał taśmę. Rozwinął rulon i odwrócił się, mrucząc pod nosem: „Czy teraz widzisz?".

— To arytmia komorowa, praktykant nie ma pojęcia o medycynie!

— Arytmia komorowa, nie ma pan pojęcia o medycynie! — powtórzył niemal słowo w słowo Arthur.

Paul przewrócił oczyma i otarł wierzchem dłoni pot z czoła.

— Doskonale wiem, że to arytmia komorowa, ale nie wiem co robić, panie doktorze!

— Nic pan nie wie, jest pan głupcem! — wykrzyknął Arthur. — Co robimy? — dodał szeptem.

— Zapytaj, co dotąd podał — poleciła Lauren, a Arthur natychmiast powtórzył to pytanie.

— Nic!

Pielęgniarka, która udzieliła mu odpowiedzi, ciągnęła wyniosłym tonem, doskonale odzwierciedlającym jej opinię o praktykancie:

— Znaleźliśmy się w dramatycznej sytuacji, panie doktorze!

— Głupiec! — powtórzył Arthur. — No, co teraz powinniśmy zrobić?

— Cholera, nie czas uczyć studenta, stary, to jest doktorze, facet sinieje z minuty na minutę! — krzyknął Paul. — Zobaczysz, zanim się obejrzymy, wylądujemy w Saint-Quentin* — dodał znacznie ciszej.

— Uspokój się, kolego. — Arthur poklepał go po plecach i zwracając się do pielęgniarki, wyjaśnił: — Proszę mu wybaczyć, jest nowy, ale tylko on był dziś wolny.

— Trzeba wstrzyknąć dwa miligramy epinefryny i zrobić nakłucie osierdzia, i tu pojawia się poważny problem, kochanie — uprzedziła go Lauren.

— Wstrzyknąć dwa miligramy epinefryny — krzyknął Arthur.

— Najwyższy czas! Już przygotowałam, doktorze — pielęg-

---

* Duże więzienie w Kalifornii, nad zatoką San Francisco.

niarka odetchnęła z ulgą. — Czekałam tylko, aż ktoś weźmie sprawę w swoje ręce.

— A potem zrobimy nakłucie osierdzia — oznajmił tonem, w którym zabrzmiało i pytanie, i polecenie. — Potrafi pan to zrobić? — zwrócił się do stażysty.

— Każ to zrobić pielęgniarce, oszaleje z radości, żaden konował im na to nie pozwala — radziła Lauren, gdy Arthur czekał jeszcze na odpowiedź stażysty.

— Nigdy nie wykonywałem tego zabiegu — odparł w końcu.

— W takim razie pozostawiam to pani!

— Nie, proszę zaczynać, doktorze, zrobiłabym to z przyjemnością, ale nie mamy dość czasu, zaraz wszystko przygotuję. I dziękuję za zaufanie, naprawdę doceniam pański gest.

I odeszła na koniec pokoju, by przygotować rurkę i igłę.

— Co mam teraz robić? — szepnął przerażony Arthur.

— Wynośmy się stąd — poradził Paul. — Nie będziesz robił nakłucia osierdzia ani żadnych podobnych rzeczy, wiejemy ile sił w nogach, chłopie!

Lauren instruowała go w pośpiechu:

— Staniesz przed nim, dwoma palcami dotkniesz miejsca pod jego mostkiem. Chyba wiesz, gdzie jest mostek? Jeżeli nie trafisz dokładnie tam gdzie trzeba, podpowiem ci! Ustawisz igłę pod kątem piętnastu stopni i wprowadzisz ją, stopniowo, ale ciągłym, zdecydowanym ruchem. Jeżeli ci się uda, wypłynie białawy płyn, jeżeli nie trafisz — krew. Módl się, żeby ten debiut był sukcesem, bo w przeciwnym razie tkwimy po uszy w gównie, a razem z nami leżący tu facet.

— Nie mogę tego zrobić! — wyszeptał.

— Musisz. Nie masz wyboru. Ten facet też nie, ponieważ jeśli tego nie zrobisz, będzie po nim.

— Czyżbym się przesłyszał, czy też powiedziałaś do mnie „kochanie"?

Lauren uśmiechnęła się.

— Zabieraj się do roboty i weź głęboki oddech, zanim zaczniesz się wkłuwać.

Pielęgniarka wróciła z przygotowanym sprzętem.

— Chwyć za plastikową końcówkę! — poleciła Lauren. — Powodzenia, Arthurze!

Arthur ustawił igłę we wskazanej pozycji. Pielęgniarka bacznie przypatrywała się jego gestom.

— Doskonale — pochwaliła Lauren — nie pochylaj tak mocno, dobrze, teraz wbij ją jednym ruchem. — Igła znikała w klatce piersiowej pacjenta. — Przerwij i obróć lekko ten kranik z boku rurki.

Arthur posłusznie wykonał polecenie. Białawy płyn zaczął sączyć się przez rurkę.

— Brawo, po mistrzowsku wykonałeś zabieg — gratulowała Lauren — uratowałeś temu człowiekowi życie.

Paul, który dwukrotnie był bliski utraty przytomności, raz po raz mamrotał:

— Nie wierzę własnym oczom.

Uwolnione od uciskającego je płynu serce diabetyka nabrało prawidłowego rytmu. Pielęgniarka dziękowała Arthurowi.

— Teraz już sama się nim zajmę — powiedziała.

Arthur i Paul pożegnali się z nią i wyszli na korytarz. Już zza progu Paul wsunął głowę do pokoju i rzucił uwagę, od której nie zdołał się powstrzymać: Głupiec!

Po drodze zaś, wzdychając z ulgą, powiedział do przyjaciela:

— Tym razem naprawdę wprawiłeś mnie w przerażenie!

— Pomogła mi, mówiła, co i jak robić — szepnął Arthur. Paul pokręcił głową.

— Na pewno zaraz się obudzę, a kiedy do ciebie zadzwonię i opowiem ten koszmarny sen, który teraz mnie dręczy, będziesz się śmiał i kpił ze mnie!

— Chodź, Paul, nie mamy chwili do stracenia — wpadł mu w słowo Arthur.

I wszyscy troje weszli do pokoju 505. Arthur odszukał włącznik i jarzeniówki zaczęły migotać. Stanął przy łóżku.

— Pomóż mi — poprosił Paula.

— To ona?

— Nie, facet z sąsiedztwa. Oczywiście, że ona! Ułóż nosze równolegle do łóżka.

— Robisz to na co dzień?

— Dobrze. Teraz wsuń ręce pod jej kolana i uważaj na kroplówkę. Podnosimy na trzy. Trzyyy!

Ciało Lauren spoczęło na noszach. Arthur otulił dziewczynę kocem, zdjął butelkę z płynem fizjologicznym ze stojaka i zawiesił przy noszach, ponad głową chorej.

— Etap pierwszy zakończony. Teraz schodzimy szybko, ale bez widocznego pośpiechu.

— Dobrze, panie doktorze! — mruknął znużony eskapadą Paul.

— Obaj świetnie sobie radzicie — szepnęła Lauren.

Ruszyli w kierunku windy. Z końca korytarza dobiegł ich głos pielęgniarki. Arthur odwrócił się powoli.

— Słucham?

— Z nim już wszystko w porządku. Może panom w czymś pomóc?

— Dziękuję, tu też wszystko w porządku.

— Raz jeszcze dziękuję!

— Nie ma za co.

Otwarły się drzwi windy i po chwili Paul, Arthur i pacjentka zniknęli w jej wnętrzu. Obaj mężczyźni odetchnęli z ulgą.

— Trzy top modelki, dwa tygodnie na Hawajach, testarossa i jacht.

— Co ty tam mówisz?

— Moje honorarium, obliczam honorarium za dzisiejszy wieczór!

Kiedy wysiadali z windy, w hallu nie było żywego ducha. Przemierzyli ten ostatni odcinek drogi szybkim krokiem. Wsunęli ciało Lauren do ambulansu, po czym zajęli miejsca w kabinie.

Arthur znalazł na swoim fotelu dokumenty oraz krótki liścik: *Proszę jutro do mnie zadzwonić, w karcie przewozowej brakuje dwóch informacji. Karen (415.725.00.00 wewnętrzny 2154) PS: Powodzenia.*

Karetka opuściła parking przed szpitalem Memorial.

— W gruncie rzeczy nie jest trudno wykraść chorego — stwierdził Paul.

— Na pewno dlatego, że to raczej rzadko spotykane przestępstwo — odparł Arthur.

— Raczej tak. Dokąd jedziemy?

— Najpierw do mnie, a potem w miejsce, które także od bardzo dawna pogrążone jest w śpiączce i które wkrótce wszyscy razem obudzimy.

Ambulans minął Market Street i dotarł do Van Ness. Wokół domu panowała cisza.

Zgodnie z opracowanym przez Arthura planem należało teraz przenieść ciało Lauren do jego samochodu. Paul miał odprowadzić wypożyczony wóz do warsztatu ojczyma, Arthur tymczasem — znieść wszystkie rzeczy przygotowane na drogę i pobyt w Carmelu. Starannie zapakował leki i ułożył je w dużej lodówce General Electric.

Stanąwszy przed automatycznie otwieranymi drzwiami garażu, Paul sięgnął po pilota i wcisnął przycisk, ale drzwi nawet nie drgnęły.

— Zupełnie jak w kiepskim kryminale — stwierdził.

— Co masz na myśli? — zapytał Arthur.

— W kiepskich kryminałach sąsiad udaje twardziela i równego gościa, przychodzi i mówi: „Co to za bajzel?". I wówczas drzwi najczęściej się otwierają. My tymczasem mamy do czynienia ze zdalnie sterowanym wjazdem, który nie zamierza się otworzyć, a przed twoim domem, na chwilę przed zbiorowym wyprowadzaniem piesków na wieczorne siusianie, sterczy ambulans ukradziony z warsztatu mojego ojczyma. A w tym ambulansie leży ciało dziewczyny.

— Niech to szlag trafi!

— Muszę przyznać, że dość celnie to ująłeś, Arthurze.

— Daj mi pilota!

Paul wzruszył ramionami, ale spełnił prośbę przyjaciela. Arthur nerwowo gniótł przycisk, ale nadal nic się nie działo.

— A na dodatek uważasz mnie za durnia?!

— Baterie się wyczerpały — stwierdził Arthur.

— Pusta bateria i czarna seria. — Paul nie zamierzał oszczędzać przyjacielowi sarkastycznych uwag. — Wszyscy geniusze wpadają z powodu tego rodzaju drobiazgów.

— Pędzę do domu po nową. Ty tymczasem zrób kółko i wracaj tu zaraz.

— Módl się, żebyś znalazł w szufladzie przynajmniej jedną dobrą baterię, geniuszu!

— Nie odpowiadaj mu, idź na górę — ponaglała Lauren.

Arthur wysiadł z ambulansu i szybko wbiegł na górę, wpadł do mieszkania jak po ogień i zaczął przetrząsać szufladę po szufladzie. Nie znalazł jednak żadnej baterii. Opróżnił sekretarzyk, komodę, wysypywał na podłogę zawartość szuflad kuchennych, gdy tymczasem Paul po raz piąty okrążał posesję.

— Jeżeli nie natknę się na patrol, to jestem największym palantem w mieście — burczał pod nosem, zaczynając szóste okrążenie, i właśnie w tym momencie z przeciwka nadjechał wóz policyjny. — A jednak nie jestem palantem, chociaż tym razem byłoby mi to nawet na rękę!

Wóz policyjny podjechał do ambulansu i zatrzymał się; policjant dał mu znak, by otworzył okno. Paul wykonał polecenie.

— Szuka pan drogi?

— Nie, czekam na kolegę. Wpadł do domu po rzeczy, a musimy jeszcze odprowadzić Daisy do warsztatu.

— Kto to jest Daisy? — zainteresował się policjant.

— To nasz ambulans. Pracuje ostatni dzień, już się wysłużył, jeździmy razem od dziesięciu lat, przywykłem do niego. Smutno będzie się rozstać ze staruszką Daisy... Chyba mnie pan rozumie? Dziesięć lat to szmat czasu i mnóstwo wspomnień.

Policjant rozumiał, prosił jednak, żeby Paul nie krążył tu zbyt długo, bo zaraz dostaną na pewno zgłoszenie z centrali. Ludzie w dzielnicy są dość wścibscy i nieufni.

— Wiem, ja też tu mieszkam. Odjedziemy, kiedy tylko wróci mój wspólnik. Dobranoc!

Policjant również życzył mu dobrej nocy. Po chwili wóz patrolowy zniknął za jednym z zakrętów. Policjant siedzący za kierownicą założył się z kolegą o dziesięć dolarów — facet z karetki na nikogo nie czekał.

— Pewnie trudno mu się rozstać z tym gruchotem. Po dziesięciu latach przykro pozbyć się nawet wozu.

— Niby tak. Ale przecież tacy jak on manifestują przed ratuszem, domagając się pieniędzy na wymianę sprzętu.

— Mimo wszystko, przez dziesięć lat człowiek przywiązuje się do rzeczy.

— Pewnie masz rację...

Arthur wywrócił mieszkanie do góry nogami. Zaczynała ogarniać go panika. Nagle stanął pośrodku salonu, usilnie szukając wyjścia z sytuacji.

— Pilot do telewizora! — podszepnęła mu Lauren.

Zaskoczony prostotą pomysłu, zerknął na nią, po czym chwycił czarne pudełeczko. Dosłownie zerwał tylną ściankę, wyciągnął prostokątną baterię i błyskawicznie przełożył ją do pilota sterującego bramą garażu. Podbiegł do okna i wcisnął guzik.

Klnąc na czym świat stoi, Paul zaczynał właśnie dziewiąte okrążenie. Kiedy zobaczył, że otwierają się drzwi, wjechał, modląc się, żeby zamknęły się bez problemów. Wszystko przez jakąś idiotyczną baterię, co za dureń z tego Arthura!

Tymczasem Arthur czekał już w garażu.

— W porządku?

— U mnie czy u ciebie? Chętnie bym cię udusił!

— Lepiej mi pomóż, mamy jeszcze sporo pracy.

— A cóż ja innego robię przez cały wieczór!

Z wielką ostrożnością przenieśli ciało Lauren. Ułożyli ją z tyłu, wciskając butelkę z płynem fizjologicznym między oparcia. Otulili ciało Lauren kocami. Jej głowa opierała się o drzwi i każdy, kto spojrzałby na nią z zewnątrz, pomyślałby, że dziewczyna śpi.

— Czuję się, jakby mnie ktoś wrzucił w sam środek filmu

Tarantina — wściekał się Paul. — Pamiętasz zbira, który pozbywa się...

— Lepiej się zamknij, bo zaraz palniesz jakieś głupstwo.

— A jakie to ma znaczenie, dziś wieczorem jedno głupstwo więcej niczego już nie zmieni! Ty odprowadzisz ambulans?

— Nie. Ale pamiętaj, że ona siedzi tuż obok ciebie i o mało jej nie zraniłeś.

Lauren położyła mu rękę na ramieniu.

— Przestańcie się kłócić. To był dla was obu bardzo ciężki dzień — powiedziała łagodnie.

— Masz rację. Bierzmy się do roboty.

— Mam rację, bo milczę? — burknął Paul.

Arthur ciągnął, nie zważając na niego:

— Jedź teraz do warsztatu ojczyma, za dziesięć minut zabiorę cię stamtąd. Muszę jeszcze zapakować sprzęt.

Paul wsiadł do ambulansu. Tym razem drzwi otwarły się bez problemu. Wyjechał, nie odzywając się ani słowem. Nie zauważył, że na skrzyżowaniu z Union Street stoi patrol, który niedawno go zatrzymał.

— Przepuść ten wóz i jedź za nim! — powiedział policjant.

Ambulans skręcił w Van Ness, a w ślad za nim wóz patrolowy 627 policji miejskiej. Kiedy po dziesięciu minutach karetka wjechała na dziedziniec warsztatu, policjanci przyhamowali. Po chwili patrol oddalił się.

Kwadrans potem przed warsztatem zatrzymał się samochód Arthura. Paul natychmiast wyszedł na ulicę i szybko wsiadł do saaba.

— Zwiedzałeś San Francisco?

— Ze względu na nią musiałem jechać wolniej niż zwykle.

— Zamierzasz dojechać na miejsce przed świtem?

— Tak. Teraz możesz się odprężyć, Paul. Już prawie nam się udało. Wyświadczyłeś mi ogromną przysługę, zdaję sobie z tego sprawę, nie wiem tylko, jak mam ci wyrazić wdzięczność. Doskonale wiem przecież, jak bardzo się dla mnie narażałeś.

— Lepiej jedź już, nie znoszę podziękowań.

Samochód opuścił miasto drogą 280 wiodącą na południe. Szybko jednak skierował się ku Pacific, by dalej podążać drogą numer 1, ciągnącą się wzdłuż wybrzeża do zatoki Monterey, w stronę Carmelu. Właśnie tą drogą zamierzała pojechać Lauren w niedzielny ranek ubiegłego lata, kiedy po raz ostatni siadła za kierownicą swojego starego triumpha.

Przed nimi rozpościerał się niezwykły krajobraz. Strome brzegi wyglądały nocą jak czarna koronka. Księżyc, który dopiero za kilka dni miał wejść w fazę pełni, wytyczał kontury drogi. Jechali tak, słuchając koncertu skrzypcowego Samuela Barbera.

Arthur zamienił się miejscami z Paulem. Siedział teraz na fotelu pasażera, wyglądając przez okno. U kresu podróży czekało go kolejne przebudzenie i tyle wspomnień, które zdołał uśpić na długie lata...

Arthura, podobnie jak Paula, wychowywała matka. Ojciec Paula porzucił rodzinę, kiedy chłopiec miał pięć lat, Arthur miał trzy, kiedy jego ojciec wyruszył do Europy w podróż, z której nigdy nie wrócił. *Jego samolot wzbił się tak wysoko w niebo, że na zawsze pozostał zawieszony pośród gwiazd.* Obaj spędzili dzieciństwo na wsi. Obaj zaznali życia w internacie. Sami wyrastali na mężczyzn.

Lilian czekała bardzo długo, w końcu jednak przywdziała żałobę po mężu — przynajmniej dla pozoru. Do dziesiątego roku życia Arthur mieszkał poza miastem, nad oceanem, w pobliżu uroczego miasteczka Carmel, gdzie Lili, bo tak znajomi zwracali się do jego matki, miała duży dom z jasnego drewna, usytuowany na wysokim brzegu i otoczony rozległym ogrodem, ciągnącym się aż po plażę. Antoine, stary przyjaciel Lili, zajmował niewielki domek przylegający do posiadłości. Lili przyjęła czy, jak powiadali sąsiedzi, przygarnęła tego artystę nieudacznika. Pomagał jej w utrzymaniu ogrodu, niemal co roku odnawiał drewnianą fasadę, dbał o bramy i parkany, a wieczorami prowadził z nią długie rozmowy. Ten przyjaciel domu zapełnił w życiu Arthura lukę — stał się męskim autorytetem, którego chłopcu brakowało od wczesnego dzieciństwa. Arthur uczęszczał początkowo do szkoły w Monterey. Rano odwoził go tam Antoine, około czwartej przyjeżdżała po niego matka. Te lata były w jego życiu niezwykle cenne i ważne. Matka stała się zarazem jego najlepszą przyjaciółką. Pokazała mu wszystko, co potrafi pokochać ludzkie serce. Zdarzało się, że budziła go wczesnym rankiem tylko po to, żeby go nauczyć spojrzenia na wschód słońca i wsłuchiwania się w brzmienie pierwszych chwil dnia. Ona oprowadzała go po krainie kwiatów, uczyła rozróżniać ich woń, z kształtu liścia rozpoznać drzewo, z jakiego pochodził. W rozległym parku otaczającym ich dom i schodzącym aż ku plaży wprowadzała go w świat przyrody, pokazywała jej najdrobniejsze cuda — te zrodzone z troski człowieka, niejako uładzone, i te, które pozostawiała w stanie dzikim. O tej porze roku, kiedy zieleń ustępuje barwie bursztynu, kazała mu wymieniać nazwy ptaków, które przysiadały na gałęziach sekwoi, by odpocząć podczas długiej wędrówki.

W warzywniku, którym troskliwie zajmował się Antoine, zrywała razem z nim to, co wyrosło jakby za dotknięciem czarodziejskiej różdżki, ale dopiero wtedy, gdy dojrzało do zbioru. Czasem siadali na plaży i liczyli fale, które łagodnie obmywały skały, zdawałoby się, przepraszając za gwałtowne ataki przypuszczane na brzeg w innych porach roku. Mówiła, że czynią to, aby chwycić tchnienie morza, przejąć jego moc, odgadnąć nastrój. Morze niesie spojrzenia, ziemia unosi nasze stopy, powtarzała. Uczyła go, jak z siły związku łączącego chmury z wiatrem odgadnąć pogodę na najbliższe dni i niezwykle rzadko zdarzało się jej mylić. Arthur znał każdy skrawek ogrodu, mógł poruszać się po nim z zamkniętymi oczyma, a nawet chodzić tyłem. Najodleglejszy zakątek tego małego świata znał jak własną kieszeń. Każda dziupla miała swą nazwę, każde zwierzę, które na zawsze zasnęło w tej ziemi, swój grób. Przede wszystkim jednak uczyła go kochać i troszczyć się o róże. Rozarium Lili było czarodziejskim zakątkiem, przepojonym stu różnymi zapachami. Lili zabierała go tam, by opowiadać baśnie, których dziecięcy bohaterowie śnili o dorosłym życiu, a dorośli pragnęli znów stać się dziećmi. Spośród wszystkich kwiatów najbardziej ukochała róże.

*

Pewnego ranka w pierwszych dniach lata weszła wcześniej niż zwykle do jego pokoju, usiadła na łóżku i pogładziła jego kędzierzawe włosy.

— Obudź się, synku, czas wstawać, musimy iść.

Chłopczyk chwycił dłoń matki, uścisnął jej palce i odwrócił się, przytulając buzię do jej ręki. Uśmiechem, który pojawił się na jego ustach i w oczach, cudownie wyraził radosną czułość tej chwili.

Na całe życie zapamiętał Arthur zapach, jaki miała dłoń Lili. Była to mieszanka perfum, które co rano łączyła wedle własnego gustu, siedząc przy toaletce.

Wspomnienie tego dnia utrwaliło się w jego pamięci właśnie w skojarzeniu z zapachem.

— Chodź, kochanie, pobiegniemy tropem słońca. Zejdź za pięć minut do kuchni.

Chłopiec włożył stare bawełniane spodnie i gruby sweter. Przeciągnął się i ziewnął. Zwykł ubierać się w milczeniu, bo matka nauczyła go szanować spokój poranka. Wsunął nogi w kalosze, doskonale wiedział bowiem, dokąd wybiorą się po śniadaniu. Kiedy był gotów, zszedł do dużej kuchni.

— Nie hałasuj, Antoine jeszcze śpi.

Nauczyła go też rozkoszować się smakiem, a przede wszystkim aromatem kawy.

— Czy to na pewno mój Arthur?

— Tak.

— W takim razie otwórz oczy i uważnie rozejrzyj się wokół. Dobre wspomnienia nie powinny zacierać się w pamięci. Wchłaniaj barwy, przyswajaj kształty i formy. Tak wytworzą się twoje upodobania, za tym, co dziś widzisz, będzie tęsknił mężczyzna, na którego wyrośniesz.

— Przecież ja już jestem mężczyzną!

— Myślałam o dorosłym mężczyźnie.

— Czy my, dzieci, tak bardzo się od was różnimy?

— Tak! My, dorośli, przeżywamy lęki, których dzieciństwo nie zna. Jeśli chcesz, możesz to nazwać strachem.

— Czego się boisz?

Wytłumaczyła mu, że dorośli obawiają się całej masy rzeczy — starości, śmierci, tego, czego sami nie zaznali, chorób, czasem nawet spojrzenia dzieci albo osądu, jakiemu poddają ich wszyscy pozostali.

— Czy wiesz, dlaczego ty i ja tak dobrze się rozumiemy? Ponieważ nie próbuję cię okłamywać, rozmawiam z tobą jak z dorosłym, nie boję się. Mam do ciebie zaufanie. Dorośli czują strach, bo nie wszystko potrafią. Tego właśnie usiłuję cię nauczyć. Przeżywamy tu wspaniałą chwilę, na którą składa się tak wiele różnych drobiazgów — my oboje, ten stół, nasza rozmowa, moje dłonie, na które patrzysz od pewnego czasu, zapach kuchni, jej dobrze ci znany wystrój, cisza budzącego się dnia.

Wstała, zebrała filiżanki i włożyła je do emaliowanego zlewu. Potem wytarła stół gąbką i zgarnęła okruszki na otwartą dłoń. Przy drzwiach stał wiklinowy koszyk. Na wierzchu, owinięte w serwetkę, leżały chleb, ser i kiełbasa. Lili podniosła koszyk i wzięła Arthura za rękę.

— Chodź, kochanie, spóźnimy się.

I ruszyli drogą wiodącą do niewielkiego portu.

— Spójrz na te wszystkie różnokolorowe łódki. Są niczym bukiet morskich kwiatów.

Arthur jak zwykle wszedł do wody, odczepił łódź od metalowego kółka, do którego była przymocowana, i pociągnął na głębszą wodę. Lili wstawiła do niej koszyk i usiadła.

— Do roboty, kochanie, wiosłuj.

Chłopiec z całych sił poruszał wiosłami i łódka coraz bardziej oddalała się od brzegu. Jeszcze widać było ląd, gdy dopłynęli do małego kutra rybackiego, który rozbił się tu przed laty. Lili przygotowała już wędki. Jak zwykle wykonała tylko wstępne czynności, pozostawiając synowi założenie na haczyk czerwonego robaka, który wił się w jego palcach, wzbudzając silną odrazę. Przytrzymując nogami opartą o burtę wędkę, Arthur owinął żyłkę wokół palca wskazującego i zarzucił. Ołowiane ciężarki błyskawicznie pociągnęły przynętę głęboko pod wodę. Jeżeli dobrze wybrali miejsce, już po chwili miał szansę złowić jedną z żyjących pośród skał ryb.

Siedzieli na wprost siebie, pogrążeni od kilku minut w milczeniu. Matka wpatrywała się w niego i w pewnej chwili zapytała zmienionym głosem:

— Arthurze, czy wiesz, że nie umiem pływać? Co byś zrobił, gdybym wpadła do wody?

— Skoczyłbym i wyciągnął cię — odparło dziecko.

Słowa te wywołały gniew Lili:

— Pleciesz głupstwa!

Ta gwałtowna reakcja wprawiła Arthura w osłupienie.

— Powinieneś spróbować dopłynąć łodzią do brzegu! — krzyczała Lili. — Liczy się wyłącznie twoje życie, nigdy o tym nie zapominaj i nie waż się w żadnej sytuacji igrać tym niezwykłym darem. Obiecaj mi to!

— Obiecuję — powiedziało wystraszone dziecko.

— Widzisz — podjęła łagodniejszym tonem — pozwoliłbyś mi utonąć.

Wtedy mały Arthur rozpłakał się. Lili ocierała palcem łzy spływające po twarzyczce syna.

— Czasami jesteśmy bezradni wobec naszych pragnień, żądz czy spontanicznych reakcji. W takich chwilach zmagamy się ze sprzecznymi uczuciami, czujemy się jak w matni. Takie doznania będą ci towarzyszyły przez całe życie, czasem zdarzy ci się o nich zapomnieć, kiedy indziej zaczną graniczyć z obsesją. Sztuka życia polega po części na tym, by przezwyciężać własną bezradność. Jest to trudne, bo z bezradności często rodzi się strach. A strach osłabia nasze reakcje, inteligencję, pozbawia rozsądku, torując drogę słabości. Poznasz wiele odmian strachu. Walcz z nim, ale nie zastępuj zbyt długimi okresami wahania. Myśl, decyduj i działaj! Odrzucaj wątpliwości, niezdolność dokonania wyboru powoduje, że ciężko jest żyć. Każde pytanie może stać się grą, każda podjęta decyzja może pomóc w poznaniu i rozumieniu samego siebie. Spraw, żeby świat, twój świat, trwał w ruchu! Popatrz na krajobraz, który się przed tobą roztacza, naciesz oczy wspaniałym zarysem wybrzeża, wyglądającego stąd jak koronka. Zobacz, jak słońce ożywia tysiące barw wody i lądu. Każde drzewo kołysze się i drży nieco inaczej, muskane wiatrem. Czy sądzisz, że natura bała się, tworząc tyle drobiazgów, dając nam moc wrażeń? Ale najwspanialszy dar, jaki otrzymaliśmy od natury, to, co czyni z nas istoty ludzkie, to umiejętność dzielenia się uczuciami.

Ten wczesny poranek, Arthurze, spędzony tu ze mną, wryje się w twoją pamięć. Potem, kiedy już mnie nie będzie, pomyślisz o nim i to wspomnienie okaże się słodkie i kojące, ponieważ dzielimy te chwile. A gdybym wpadła do wody, nie skacz, żeby mnie ratować. Popełniłbyś głupstwo. Możesz jednak podać mi rękę, aby pomóc w wydostaniu się z topieli na łódź. Wówczas nawet jeżeli ci się nie uda i ja utonę, będziesz miał spokojne sumienie. Podjąłeś bowiem słuszną decyzję, nie narażając się na bezsensowną śmierć, a równocześnie uczyniłeś co w twej mocy, by mnie ocalić.

Podczas gdy wiosłował w stronę brzegu, ujęła jego chłopięcą główkę w dłonie i czule pocałowała go w czoło.

— Czy zadałam ci ból?

— Tak, nigdy nie dopuszczę, żebyś utonęła. I będę nurkował, bo jestem wystarczająco silny, żeby cię wyciągnąć z wody.

*

Lili umierała równie elegancko, jak żyła. Rankiem, w dniu jej śmierci, chłopiec podszedł do łóżka swej mamy:

— Dlaczego?

Stojący tuż obok mężczyzna nie rzekł ani słowa, tylko podniósł oczy i spojrzał na dziecko.

— Byliśmy sobie tak bliscy, dlaczego się ze mną nie pożegnała? Ja na pewno bym tak nie postąpił. Przecież jesteś duży, wytłumacz mi, dlaczego? Powiedz, muszę to wiedzieć, wszyscy ciągle okłamują dzieci, dorośli uważają, że jesteśmy naiwnymi malcami! Ale jeżeli jesteś odważny, powiesz mi chyba prawdę, wytłumaczysz, dlaczego tak po prostu odeszła, przekonana, że śpię?

Zdarza się, że w spojrzeniu dziecka jest coś, co prowadzi nas ku tak odległym wspomnieniom, że nie sposób już pozostawić pytania bez odpowiedzi.

Antoine położył dłonie na ramionach Arthura.

— Nie mogła postąpić inaczej. Śmierć nie przychodzi do nas o z góry ustalonej porze, ona wdziera się nagle. Mama obudziła się w środku nocy, nękał ją straszliwy ból. Usłyszała, jak wstaje nowy dzień, chociaż jednak bardzo pragnęła czuwać, cichutko zapadła w sen.

— W takim razie to moja wina, nie powinienem był spać.

— Nie, skądże znowu! Nie wolno ci tak do tego podchodzić. Chcesz wiedzieć, czemu naprawdę odeszła bez pożegnania?

— Tak!

— Twoja mamusia była wielką damą, a każda dama potrafi odejść z godnością, pozostawiając samym sobie tych, których kochała.

Chłopiec wyczytał z oczu wzruszonego do głębi mężczyzny wolę porozumienia, chęć zawarcia paktu przyjaźni. Wcześniej domyślał się tylko, że Antoine chciałby być jego kolegą. Powiódł wzrokiem za łzą, która spływała mu po policzku, by zniknąć w gęstwinie brody. Mężczyzna otarł oczy wierzchem dłoni.

— Spójrz na mnie. Ja płaczę — powiedział — a ty powinieneś uczynić to samo. Łzy przyniosą ci ulgę w cierpieniu, choć nie uwolnią od smutku.

— Potem przyjdzie czas na łzy — odparł mały mężczyzna. — Teraz żal i cierpienie zbliżają mnie do niej, chcę je odczuwać. Była całym moim życiem.

— Nie, chłopcze, życie jest przed tobą, nie we wspomnieniach, przecież tego właśnie cię uczyła, musisz uszanować jej wolę. Arthurze, nie wolno ci zapominać o tym, co powtarzała jeszcze wczoraj: „Każde marzenie ma swą cenę". Jej śmiercią płacisz za marzenia, które ci dała.

— To bardzo wysoka cena za marzenia. Antoine, zostaw mnie teraz z nią sam na sam — poprosił chłopiec.

— Przecież jesteś z nią sam. Zamknij oczy, zapomnij o mojej obecności, a zadziała moc uczuć. Jesteś sam ze sobą i rozpoczynasz długą wędrówkę nową drogą.

— Prawda, że jest piękna? Myślałem, że śmierć wzbudzi we mnie lęk, ale teraz widzę tylko, że jest piękna.

Ujął dłoń matki. Błękitne żyły rysowały się na jej delikatnej, białej skórze niby mapa życia — długiej, burzliwej, barwnej wędrówki. Przytulił do tej ręki policzek i gładził go, a potem złożył na niej pocałunek.

Jakiż mężczyzna potrafiłby zawrzeć w jednym pocałunku taki ogrom miłości?

— Kocham cię — powiedział. — Kochałem cię jak dziecko matkę, teraz pozostaniesz w sercu mężczyzny, póki mego życia.

— Arthurze? — usłyszał głos Antoine'a.

— Słucham.

— Mam tu list, który do ciebie napisała. Zostawiam cię teraz samego.

Kiedy Antoine wyszedł, Arthur sięgnął po kopertę i przez moment napawał się jej dobrze znajomą wonią, potem zaś wyjął ze środka list.

Mój kochany Arthurze!

Wiem, że czytając ten list, w głębi ducha będziesz na mnie rozgniewany za paskudny kawał, który Ci zrobiłam. Arthurze, to już mój ostatni list, a także testament mej miłości.

Mój duch odchodzi, silny szczęściem, jakie mi dałeś.

Życie jest cudowne, Arthurze, dostrzegamy to, kiedy odchodzi cichutko na palcach, ale w rzeczywistości rozkoszujemy się nim dzień po dniu.

Są takie chwile, kiedy we wszystko wątpimy, ale proszę Cię, moje serce, nigdy się nie poddawaj. Od dnia Twoich narodzin obserwowałam to światełko w oczach, czyniące Cię tak odmiennym od innych małych chłopców. Widziałam, jak upadasz i wstajesz, zaciskając zęby, kiedy każde inne dziecko wybuchnęłoby płaczem. Ta odwaga jest Twoją siłą, ale i słabością. Uważaj na siebie, uczucia istnieją po to, by dzielić je z innymi, siła i odwaga to jak dwa kije, które mogą uderzyć tego, kto źle się nimi posługuje. Mężczyzna także ma prawo płakać, mężczyzna także wie, co to rozpacz.

Od tej chwili nie będzie mnie już przy Tobie. Nie będę

odpowiadała na Twe dziecięce pytania. Nadszedł czas, byś stał się małym mężczyzną.

Przemierzając długą drogę, jaka Cię czeka, nie zatracaj nigdy duszy dziecka, nie wyrzekaj się swych marzeń, bo to one będą motorem Twoich poczynań, one złożą się na smak i zapach Twych poranków. Wkrótce poznasz miłość inną od tej, którą żywisz do mnie, a kiedy nadejdzie ten dzień, obdarz nią kobietę, która Cię pokocha; sny snute we dwoje tworzą najpiękniejsze wspomnienia. Samotność jest jak ogród, w którym więdnie dusza, a rosnące tam kwiaty nie rozsiewają zapachu.

Miłość ma cudowny smak, ale pamiętaj, że trzeba dawać, by zostać obdarowanym, pamiętaj, że trzeba być sobą, żeby móc kochać. Synku, zaufaj swemu instynktowi, bądź wierny uczuciom i sumieniu, przeżywaj każdą chwilę życia, bo dano Ci je tylko raz. Odtąd ponosisz odpowiedzialność za siebie i za tych, których pokochasz. Zachowaj godność, kochaj i nie zatrać tego spojrzenia na świat, które nas łączyło, gdy razem podziwialiśmy wschody słońca. Pamiętaj o godzinach poświęconych przycinaniu róż, obserwacji księżyca, rozpoznawaniu kwiatów po ich zapachu, wsłuchiwaniu się w każdy odgłos domu po to, by lepiej go zrozumieć. Każda z tych spraw jest prosta, czasem niezbyt istotna, ale właśnie takie sprawy nie pozwalają ludziom zgorzknieć, dzięki nim nie lekceważymy magii najdrobniejszej chwili dnia, chwili, którą trzeba umieć przeżyć. Takie chwile nazywamy „oczarowaniem", i tylko od Ciebie, Arthurze, zależy, czy Twoje życie stanie się oczarowaniem. Nic cenniejszego nie czeka Cię podczas długiej drogi, którą zaczynasz.

Zostawiam Cię, mój mały mężczyzno, znajdź swe miejsce na naszej pięknej ziemi. Kocham Cię, synku, byłeś sensem mego życia. Wiem, że i Ty bardzo mnie kochasz. Odchodzę spokojna. Jestem z Ciebie dumna.

Mama

Chłopczyk złożył list i wsunął go do kieszeni. Pocałował zimne jak głaz czoło matki. Przechodząc przez bibliotekę, muskał palcami grzbiety książek. Mama, która umiera, to biblioteka, która płonie, mawiała. Wyszedł z pokoju pewnym krokiem, tak jak go uczyła. Mężczyzna, który odchodzi, nie powinien oglądać się za siebie.

Arthur postanowił iść do lśniącego od rosy ogrodu, gdzie rankiem powietrze było rześkie i łagodne. Zbliżył się do róż i przykląkł.

— Odeszła, nie wróci już, żeby przyciąć wam gałązki, gdybyście wiedziały — mówił — gdybyście tylko mogły zrozumieć... Czuję, że moje ręce są dziś takie ciężkie i niezgrabne.

Za sprawą podmuchu wiatru listki i płatki róż poruszyły się, odpowiadając dziecku. W tej jednej jedynej chwili, w ogrodzie różanym, pozwolił popłynąć łzom. Stojący w progu domu Antoine obserwował tę scenę.

— Och, Lili, odeszłaś od niego za wcześnie, o wiele za wcześnie — szepnął. — Teraz Arthur pozostał sam, któż poza tobą potrafi wejść do jego świata? Jeżeli możesz coś uczynić, znajdując się tam, gdzie teraz jesteś, otwórz przed nim furtkę wiodącą do naszego świata.

Gdzieś w głębi ogrodu rozległo się głośne krakanie kruka.

— O nie, Lili, tylko nie to — mruknął Antoine. — Nie jestem jego ojcem.

Ten dzień był najdłuższym dniem w życiu Arthura. Późnym wieczorem, siedząc na progu domu, wciąż milczał, nie chcąc i nie potrafiąc zakłócać ciszy tych bolesnych chwil.

Antoine przysiadł obok niego, ale on również się nie odzywał. Obaj wsłuchali się w odgłosy nocy, rozpamiętywali przeszłość, której niemym świadkiem był ten dom. W myślach małego mężczyzny zaczynały wirować dźwięki muzyki, której dotąd nie znał, klucze wiolinowe wabiły rzeczowniki, półnuty — przymiotniki, całe nuty — czasowniki, a chwile ciszy — zdania, które jednak nic nie znaczyły.

— Antoine?

— Słucham, Arthurze?

— Dała mi swoją muzykę.

Chwilę później dziecko zasnęło w ramionach Antoine'a, a on siedział, tuląc je do siebie i starając się nie poruszyć, by go nie obudzić. Przez wiele minut trwali tak w bezruchu. Kiedy Antoine upewnił się, że chłopiec śpi głęboko, wziął go na ręce i zaniósł do domu. Lili odeszła zaledwie kilka godzin temu, a jednak atmosfera tego miejsca już uległa zmianie. Trudno opisać te dźwięki, zapachy i barwy, które wyciszały się i blakły, by w końcu zniknąć na zawsze.

Trzeba zapisać to wszystko w pamięci, utrwalić te chwile!, szeptał, idąc po schodach. Dotarł do pokoju chłopca, położył go do łóżka i nie próbując rozbierać, okrył kocem. Pogładził główkę Arthura i wyszedł na palcach.

Przed śmiercią Lili wszystko dokładnie zaplanowała. Parę tygodni po pogrzebie Antoine zamknął duży dom, pozostawiając otwarte tylko dwa pokoje na parterze, i tam przeniósł się na resztę swych dni. Odprowadził Arthura na dworzec i wyprawił pociągiem do miasta, gdzie czekało już miejsce w szkole z internatem. Tu, samotnie, Arthur wyrastał na młodzieńca. Szkoła była przyjazna, nauczyciele budzili szacunek, a czasami nawet sympatię. Lili z pewnością wybrała dla syna jak najlepsze miejsce. W tym świecie na pierwszy rzut oka nie było smutku. Ale przekraczając progi internatu, Arthur wniósł ze sobą wspomnienia, które pozostawiła po sobie matka, i nimi zapełnił każdy zakamarek umysłu. Nauczył się przyjmować wszystko z pogodą ducha. Opierając się na dogmatach wpojonych przez Lili, tworzył swe zachowania, gesty, na nich budował logiczny sposób myślenia. Arthur był pogodnym dzieckiem, a jako młodzieniec zachował tę samą logikę myślenia i niezwykle rozwinięty zmysł obserwacji. Ten, kto poznał go jako młodego mężczyznę, sądził, że nigdy nie zdarza mu się ulegać nastrojom. Był dobrym uczniem — nie genialnym, ale z pewnością nie miernotą, jego oceny zawsze plasowały się powyżej przeciętnej. Wyjątek stanowiła historia, którą znał tak doskonale, że bez najmniejszego wysiłku zdawał kolejne egzaminy, aż po Bachelor of Administration*. Po zakończeniu tego etapu nauki został wezwany do dyrektorki szkoły. Stało się to w pewien czerwcowy wieczór. Opowiedziała mu o tym, jak matka, dowiedziawszy się, że cierpi na chorobę, która nie pozostawia nadziei, a jedynym, czego dokładnie nie wiadomo, jest czas, jaki da ofierze, nim ją zniszczy, na dwa lata przed śmiercią zjawiła się w szkole. Poświęciła wiele godzin, by ustalić wszystkie szczegóły jego edukacji. Studia Arthura zostały opłacone na lata po osiągnięciu przez niego dojrzałości. Odchodząc, powierzyła pani Senard, dyrektorce szkoły, wiele spraw i rzeczy. Klucze — od domu w Carmelu, gdzie wyrósł, a także od małego mieszkania w mieście. Mieszkanie wynajmowano do ubiegłego miesiąca. Teraz, zgodnie z wolą matki, czekało wolne na swego dorosłego już właściciela. Pieniądze uzyskane z najmu wpłacano na konto, które zostało otwarte na jego nazwisko. Tam też ulokowano resztę oszczędności matki. Zebrała się z tego spora suma, umożliwiająca ukończenie wyższych studiów i nie tylko.

Arthur sięgnął po leżące na biurku pani Senard klucze. Był przy nich breloczek — srebrna kulka z małym zameczkiem w środku. Arthur przesunął dźwigienkę i kulka otwarła się, ukazując na swych połówkach dwa miniaturowe zdjęcia. Na jednym ujrzał siebie w wieku siedmiu lat, na drugim Lili. Arthur ostrożnie złożył kulkę.

— Jaki kierunek studiów zamierzasz wybrać? — zapytała dyrektorka.

— Architekturę, chcę zostać architektem.

— Nie wybierasz się do Carmelu, do domu?

— Nie, jeszcze nie teraz i chyba nieprędko.

— Dlaczego?

— Ona wie, ale to nasz sekret.

Dyrektorka wstała, Arthur poszedł w jej ślady. Kiedy zbliżali

---

* Świadectwo odpowiadające maturalnemu.

11

Samochód połykał ostatnie kilometry tej długiej nocy, reflektory rzucały światło na biało-pomarańczowe pasy, które wytyczały drogę, ostrzegając kierowców przed niebezpiecznym zakrętem, urwiskiem morskim lub bagnem sąsiadującym z opustoszałą o tej porze plażą. Lauren drzemała, Paul prowadził w milczeniu, wpatrzony w drogę i pochłonięty własnymi myślami. Arthur wykorzystał tę chwilę spokoju, by dyskretnie wyjąć z kieszeni zabrany wraz z długimi, ciężkimi kluczami list, który spoczywał dotąd w sekretarzyku.

Kiedy rozerwał kopertę, poczuł niosący moc wspomnień zapach, kompozycję dwóch olejków eterycznych, które jego matka mieszała w dużym flakonie z żółtego kryształu ze srebrnym korkiem. Woń dobywająca się z koperty przywołała obraz matki. Arthur wyjął list z koperty i ostrożnie go rozłożył.

Mój drogi Arthurze!
Czytasz te słowa, a zatem zdecydowałeś w końcu wyruszyć do Carmelu. Ciekawa jestem, ile masz teraz lat.
Trzymasz w ręku klucze do domu, w którym spędziliśmy razem najpiękniejsze lata. Wiedziałam, że nie od razu do niego wrócisz, że zechcesz przygotować się do jego przebudzenia.

Kochanie, wkrótce otworzysz drzwi, których skrzypie-
nie jest mi tak bliskie. Ogarnięty nostalgią, zajrzysz do
każdego pokoju. Będziesz otwierał okiennice, wpuszczając
do wnętrza światło słońca, którego tak bardzo będzie mi
brakowało. Nie zapomnij iść także do rozarium, cicho
zbliż się do róż, które przez te wszystkie lata na pewno
zdziczały.

Musisz odwiedzić mój gabinet. Teraz już Twój. W szafie
znajdziesz małą czarną walizkę. Jeżeli masz ochotę, ot-
wórz ją, nawet wyłamując zamki. Schowałam do niej
zeszyty, które zapełniałam dzień po dniu przez lata Twego
dzieciństwa.

Życie przed Tobą. Ty jeden jesteś jego panem. Bądź
godny wszystkiego, co ukochałam.

Kocham Cię z nieba i czuwam nad Tobą.

Twoja mama Lili

Świtało, kiedy dotarli do zatoki Monterey. Niebo spowijał jakby bladoróżowy jedwab, spleciony w długie, postrzępione, niekiedy falujące wstęgi, które zdawały się łączyć chmury z horyzontem. Arthur wskazywał Paulowi drogę. Upłynęło wiele lat, nigdy nie jechał tędy, siedząc z przodu, a jednak każdy kilometr o czymś przypominał, każda furtka i brama otwierały jakieś zakamarki dziecięcej pamięci. Ruchem ręki wskazał przyjacielowi miejsce, w którym należało zjechać z głównej drogi. Za najbliższym zakrętem ujrzą już ogrodzenie posiadłości. Paul jechał zgodnie ze wskazówkami. Dotarli do piaszczystej drogi, która rozmiękała w okresie zimowych opadów, a wysychała w upalne lata. Za kolejnym zakrętem ujrzeli bramę z kutego żelaza.

— Jesteśmy na miejscu — oznajmił Arthur.

— Masz klucze?

— Tak. Otworzę, a ty podjedź pod dom i czekaj tam na mnie. Pójdę pieszo.

— A ona? Idzie z tobą czy zostaje w samochodzie?

Arthur pochylił się i wsunąwszy głowę przez okno, powiedział dobitnie:

— Sam ją o to zapytaj!

— Wolę nie próbować.

— Zostawię cię samego, myślę, że teraz tak będzie lepiej — padło z ust Lauren, która zwracała się przede wszystkim do Arthura.

Ten uśmiechnął się i poinformował Paula:

— Jedzie z tobą, szczęściarzu!

Samochód ruszył, wzniecając chmurę kurzu. Arthur został sam. Rozejrzał się wokół. Szeroki, ciągnący się aż po brzeg oceanu pas ziemi koloru ochry porastały srebrne świerki, sekwoje, granatowce, ceratonie. Ziemię zaściełały zrudziałe w słońcu igły. Kamiennymi schodkami ruszył ku domowi. W połowie drogi przystanął. To tu, po prawej, powinno znajdować się rozarium. Park był zaniedbany, mnogość zapachów co krok wywoływała niekontrolowaną falę wspomnień.

Świerszcze, spłoszone odgłosem kroków, milkły, by po chwili podjąć przerwaną pieśń. Wysokie drzewa kołysały się z lekka, poruszane porannym wiatrem. Od czasu do czasu kilka fal rozbijało się o skały. Ujrzał przed sobą pogrążony we śnie dom, dokładnie taki, jaki zachował w pamięci. Teraz jednak budynek wydał mu się mniejszy, fasada była nieco zniszczona, za to dach oparł się działaniu czasu. Okiennice były zamknięte. Paul zaparkował przed wejściem i wysiadł z samochodu.

— Długo zwlekałeś z przyjazdem!

— Ponad dwadzieścia lat!

— Co robimy?

Postanowił, że przeniosą ciało Lauren do gabinetu na parterze. Włożywszy klucz do zamka, bez wahania obrócił go tak, jak zwykle zamyka się drzwi. Stary, dobrze wyuczony odruch powrócił! Nasza pamięć przechowuje okruchy wspomnień, które, nie wiedzieć jak, potrafi ożywić we właściwej chwili. Nawet zgrzyt zamka zabrzmiał jak dawniej. Arthur wszedł do domu i otworzył drzwi prowadzące z przedpokoju do gabinetu, szybko podszedł do okna i rozsunął story. Celowo nie zwracał uwagi na otaczające go przedmioty. Czas na odkrywanie tego miejsca po latach nieobecności przyjdzie później, a przecież chciał jak najpełniej przeżyć te chwile. Błyskawicznie wyładowali skrzynki, ułożyli ciało na kanapie, podłączyli kroplówkę. Arthur zostawił lekko uchylone okiennice. Potem zabrał niewielkie pudło i zaprosił Paula do kuchni.

— Zaparzę kawę. Rozpakuj karton, a ja tymczasem zagotuję wodę.

Otworzył szafkę nad zlewem i wyjął metalowy przedmiot o dość szczególnym kształcie — symetryczny, złożony z dwóch ściętych stożków ustawionych tak, jakby jeden z nich stanowił lustrzane odbicie drugiego. Począł rozkręcać ten przyrząd, obracając obie części w przeciwnych kierunkach.

— Co to takiego? — zapytał Paul.

— Ekspres włoski.

— Ekspres włoski?

Arthur wyjaśnił mu zasadę działania ekspresu. Najważniejsze, że nie używało się papierowych filtrów, dzięki czemu kawa miała lepszy aromat. Wystarczyło wsypać dwie do trzech czubatych łyżek kawy do pojemnika usytuowanego między częścią górną a dolną, do której nalewało się wodę. Po skręceniu dzbanka stawiało się go na ogniu i podgrzewało. Wrząca woda parowała, wsiąkała w znajdującą się w dziurkowanym pojemniku kawę i przenikała do części górnej przez metalowe sitko. Cała sztuka polegała na tym, by w porę zdjąć ekspres z ognia, nie dopuszczając do wrzenia płynu w górnej części, gdzie znajdowała się nie woda, lecz kawa. Arthur pamiętał, że dopuścić do wrzenia znaczy — zabić smak kawy. Kiedy skończył wykład, Paul aż gwizdnął z podziwu:

— Niewiarygodne! Bez dyplomu inżyniera i doskonałej znajomości języka obcego w tym domu nie da się nawet zaparzyć kawy?

— To wszystko mało, przyjacielu. Do tego trzeba mieć jeszcze talent, bo to cały ceremoniał!

140

Paul skwitował tę uwagę drwiącym uśmieszkiem. Podał przyjacielowi paczkę kawy. Arthur pochylił się i otworzył dopływ gazu z butli pod zlewem. Potem odkręcił kurek na lewo od kuchenki i w końcu palnik.

— Sądzisz, że zostało trochę gazu? — zapytał Paul.

— Antoine nigdy nie zostawiłby domu tylko z jedną butlą, w dodatku pustą. Idę o zakład, że w garażu stoją co najmniej dwie pełne.

Paul wstał i odruchowo wcisnął przełącznik światła przy drzwiach. Żółtawe światło zalało pomieszczenie.

— Jakim cudem masz tu włączoną elektryczność?

— Zadzwoniłem przedwczoraj i poprosiłem o wznowienie dostawy prądu, tak samo zresztą postąpiłem w sprawie wody, więc nie musisz się martwić. Ale lepiej zgaś światło. Trzeba najpierw zetrzeć kurz z żarówek, w przeciwnym razie rozgrzane zaczną pękać.

— Gdzie nauczyłeś się parzyć kawę po włosku i odkurzać żarówki, żeby nie pękały?

— Tu, mój drogi, w tej kuchni. Podobnie jak wielu innych rzeczy.

— A co z tą kawą?

Arthur postawił na drewnianym stole dwie filiżanki i napełnił je gorącym płynem.

— Zaczekaj chwilkę — powiedział.

— Dlaczego?

— Po pierwsze, poparzysz się, po drugie, najpierw musisz nadelektować się jej aromatem. Pozwól, by wypełnił twoje nozdrza.

— Przestań nudzić, kolego! Jak dotąd nic nie wypełnia moich nozdrzy! A może ja oszalałem?! „Pozwól, by aromat wypełnił twoje nozdrza!". Co też ty jeszcze wymyślisz?!

Uniósł filiżankę do ust i niemal natychmiast wypełnił odrobiną gorącego płynu. Lauren stanęła za Arthurem i objąwszy go, szepnęła mu do ucha:

— Lubię to miejsce, dobrze się tu czuję. Bardzo mnie uspokaja.

— Gdzie byłaś?

— Kiedy rozprawialiście o kawie, obejrzałam posiadłość.

— I co?

— Znowu z nią rozmawiasz? — przerwał znużonym głosem Paul.

Ignorując pytanie, Arthur zwrócił się znowu do Lauren:

— Podoba ci się?

— Każdemu by się tu spodobało — odparła. — Ale masz wiele tajemnic i musisz się nimi ze mną podzielić. To miejsce kryje mnóstwo sekretów, czuję je za każdą ścianą, w każdym sprzęcie.

— Jeżeli ci zawadzam, udawaj, że mnie tu nie ma! — wtrącił wspólnik Arthura.

Lauren nie chciała okazać się niewdzięcznicą, ale szepnęła Arthurowi do ucha, że pragnie zostać z nim sam na sam. Czekała z niecierpliwością na chwilę, kiedy oprowadzi ją po domu. Dodała, że ma ochotę na dłuższą rozmowę. Zapytał o czym, a ona odrzekła: O tym miejscu, o wczorajszym dniu.

Paul czekał, aż Arthur zechce wreszcie odezwać się do niego, ponieważ jednak przyjaciel zdawał się całkowicie pochłonięty rozmową z niewidzialną towarzyszką, postanowił mu przerwać.

— Okej, powiedz, czy jestem ci jeszcze potrzebny? Jeśli nie, to wracam do San Francisco. Mam sporo pracy w biurze, a poza tym twoje rozmowy z Fantomasem coraz bardziej mnie drażnią.

— Zdobądź się na więcej tolerancji!

— Co takiego? Chyba się przesłyszałem? Mówisz facetowi, który w niedzielny wieczór pomógł ci wykraść ze szpitala chorą, przewieźć ją kradzionym ambulansem, a teraz siedzi i pije kawę po włosku, chociaż jest czwarta nad ranem, a on nie zmrużył jeszcze oka, że powinien zdobyć się na więcej tolerancji? Kompletnie ci odbiło, przyjacielu!

— Nie to chciałem powiedzieć.

— Nie wiem, co chciałeś powiedzieć, ale wolę wyjechać,

zanim się naprawdę pokłócimy, bo niewiele do tego brakuje, a byłaby szkoda, w końcu obaj się natrudziliśmy.

Arthur niepokoił się, uważał, że przyjaciel jest zbyt zmęczony, żeby ruszyć w drogę powrotną, ale Paul uspokoił go — kawa po włosku (uśmiechnął się ironicznie, kładąc nacisk na tę nazwę), którą wypił, dodała mu sił na co najmniej dwadzieścia godzin. Nie sądził, by przed upływem tego czasu mogła go opaść senność. Arthur nie dostrzegł sarkazmu w głosie wspólnika, który nie krył, że obawia się zostawić go bez samochodu w tym opuszczonym domu na pustkowiu.

— W garażu stoi stary ford.

— A kiedy to cudo ostatnio jeździło?

— Dawno!

— I sądzisz, że da się go uruchomić?

— Z pewnością! Naładuję tylko akumulator i wóz zapali.

— Z pewnością! W końcu zakotwiczyłeś tu na dłużej, jakoś sobie poradzisz, a ja natrudziłem się dosyć jak na jedną noc.

Arthur odprowadził Paula do samochodu.

— Przestań się o mnie martwić, wystarczająco mi już pomogłeś.

— Oczywiście, że się o ciebie martwię! Gdyby nawet wszystko było w absolutnym porządku, zostawiając cię w tym domu, bałbym się duchów, a tymczasem ty przyjeżdżasz tu z własnym!

— Spadaj!

Paul uruchomił silnik i otworzył okno. Zanim odjechał, zapytał jeszcze:

— Jesteś pewien, że sobie poradzisz?

— Jestem pewien.

— W takim razie jadę.

— Paul?

— Słucham.

— Dziękuję za to, co dla mnie zrobiłeś.

— Drobiazg.

— Przeciwnie, to bardzo dużo. Narażałeś się dla mnie,

chociaż nie do końca rozumiesz, o co tu chodzi. Pomogłeś mi, bo jesteś lojalnym przyjacielem, a to wiele dla mnie znaczy. Doskonale zdaję sobie z tego sprawę.

— Wiem, że zdajesz sobie z tego sprawę. Lepiej już pojadę, bo zaraz się popłaczemy. Dbaj o siebie i dzwoń do mnie do biura.

Arthur obiecał telefonować i po chwili saab zniknął za wzgórzami. Przed domem pojawiła się Lauren.

— Możemy teraz przejść się po posiadłości? — zapytała.

— Zaczniemy od domu czy od parku?

— Przede wszystkim powiedz mi, gdzie jesteśmy?

— Jesteś w domu Lili.

— Kim jest Lili?

— To moja matka. Spędziłem tu lata dzieciństwa.

— Dawno odeszła?

— Bardzo dawno.

— I nigdy tu nie przyjeżdżałeś?

— Nigdy.

— Dlaczego?

— Wejdź. Później o tym pomówimy. Najpierw zwiedzanie.

— Dlaczego? — nalegała.

— Zapomniałem, że jesteś innym wcieleniem osła. Po prostu!

— To ja sprawiłam, że obudziłeś ten dom?

— Nie jesteś jedynym duchem mojego życia — rzekł łagodnie.

— Pobyt tutaj wiele cię kosztuje.

— Użyłaś niewłaściwego słowa. Powiedzmy raczej, że jest dla mnie bardzo istotny.

— I zrobiłeś to dla mnie?

— Zrobiłem to, ponieważ nadeszła właściwa chwila, żeby podjąć próbę.

— Jaką próbę?

— Otwarcia małej czarnej walizki.

— Możesz mi wyjaśnić, co to za czarna walizka?

— To skarbnica wspomnień.

— Masz stąd dużo wspomnień?

— Prawie wszystkie. To był mój dom.

— Co było potem?

— Potem starałem się, żeby wszystko działo się bardzo szybko, potem dorastałem w samotności.

— Czy twoja matka umarła nagle?

— Nie, chorowała na raka, wiedziała o tym, ale dla mnie jej śmierć nadeszła bardzo szybko. Chodź ze mną, pokażę ci ogród.

Szli razem przez park. Arthur poprowadził ją aż nad ocean, który wytyczał granicę ogrodu. Usiedli na skałach nad wodą.

— Gdybyś wiedziała, ile godzin przesiedzieliśmy tu we dwoje, kiedy liczyłem rozbijające się o brzeg fale. Zakładaliśmy się, ile ich będzie. Często przychodziliśmy tu obserwować zachód słońca. Ludzie ściągają na tutejsze plaże wieczorami, żeby przez pół godziny podziwiać ten spektakl. Nie ma dwóch jednakowych zachodów słońca. Wszystko zmienia się zależnie od temperatury wody, powietrza i od wielu innych czynników. Nie ujrzysz dwa razy tych samych barw na niebie. Tak jak w mieście ludzie wracają do domu, żeby obejrzeć dziennik telewizyjny, tak tu wychodzą obserwować zachód słońca. To prawdziwy rytuał.

— Długo tu mieszkałeś?

— Byłem małym chłopcem. Odeszła, kiedy miałem dziesięć lat.

— Pokażesz mi dziś wieczorem zachód słońca?

— Tutaj to obowiązkowe — odparł z uśmiechem.

Za ich plecami dom zaczynał lśnić w świetle poranka. Farba pokrywająca fasadę od strony morza odpadała dużymi płatami, w sumie jednak budynek oparł się niszczycielskiemu działaniu czasu. Nikt, kto widział go tylko z zewnątrz, nie przypuściłby, że od tylu lat stoi opuszczony.

— Nieźle się trzyma.

— Troska o posiadłość była manią Antoine'a. Dbał o ogród, majsterkował, łowił ryby, był moją niańką, strzegł domu, a w rzeczywistości był pisarzem, któremu się nie powiodło. Mama go przygarnęła. Mieszkał w oficynie. Przed wypadkiem lotniczym, w którym zginął ojciec, był przyjacielem rodziców. Wydaje mi się, że był zakochany w mamie nawet za życia ojca. Podejrzewam, że w końcu zostali kochankami, ale dopiero znacznie później. Ona była dla niego życiową podporą, on pomagał jej przetrwać żałobę. Mało ze sobą rozmawiali, przynajmniej w mojej obecności, ale byli sobie niesłychanie bliscy. Jedno spojrzenie zastępowało im całe zdania. W tym wspólnym milczeniu otrząsali się z całej brutalności życia. Tych dwoje współistniało w spokoju, który zbijał z tropu. Jakby każde z nich ślubowało nigdy więcej nie pozwolić sobie na gniew i bunt.

— Co się z nim stało?

— Zamieszkał w gabinecie, tam gdzie ulokowaliśmy ciało. Przeżył Lili o dziesięć lat, które poświęcił zajmowaniu się domem. Lili zostawiła mu trochę pieniędzy, zawsze była przewidująca, zawsze myślała o wszystkim, nawet o tym, co dla innych było nie do przewidzenia. Pod tym względem Antoine był do niej podobny. Zmarł w szpitalu wczesną zimą. Pewnego słonecznego, ale chłodnego ranka obudził się zmęczony. Kiedy oliwił zawiasy bramy, poczuł ciężki ból w piersiach. Podszedł do drzew, chcąc zaczerpnąć powietrza, którego mu nagle zabrakło. Stara sosna, pod którą zwykł odpoczywać wiosną i latem, przygarnęła go pod swe gałęzie, kiedy osunął się na ziemię. Powalony przez ból, doczołgał się do domu i wezwał na pomoc sąsiadów. Karetka odwiozła go do szpitala w Monterey. Zmarł w następny poniedziałek. Można by sądzić, że przygotował się do odejścia. Po jego śmierci notariusz skontaktował się ze mną, by zapytać, co ma zrobić z domem. Powiedział, że ciarki przeszły mu po plecach, kiedy stanął w progu. Antoine uporządkował wszystko, jakby właśnie tamtego dnia zamierzał wyruszyć w długą podróż.

— Może rzeczywiście wybierał się w podróż?

— Antoine i wyjazdy! Nie, nawet kiedy miał zrobić zakupy w Carmelu, trzeba było namawiać go do tego przez kilka dni.

Sądzę raczej, że miał instynkt starego słonia i czuł, że nadchodzi jego godzina, albo po prostu miał dość i poddał się bez walki. Aby przybliżyć jej swój punkt widzenia, przytoczył odpowiedź, jakiej matka udzieliła mu na pewne pytanie dotyczące śmierci. Chciał się dowiedzieć, czy dorośli ludzie boją się śmierci, a ona wypowiedziała słowa, które na zawsze wryły się w pamięć chłopca: Kiedy masz za sobą udany dzień, kiedy wstaniesz wczesnym rankiem, żeby wybrać się ze mną na ryby, kiedy dużo biegasz, przycinasz z Antoine'em róże, wieczorem jesteś wyczerpany i dlatego, chociaż tak bardzo nie lubisz kłaść się do łóżka i spać, z radością wskakujesz pod kołdrę i szybciutko zasypiasz. W takie wieczory nie boisz się usnąć. Życie przypomina trochę taki dzień. Jeżeli zaczęło się wcześnie, z poczuciem spokoju myślimy o tym, że pewnego dnia nadejdzie czas spoczynku. Może dzieje się tak, ponieważ z upływem czasu nasze ciała z coraz większym trudem spełniają swe zadania. Wszystko wydaje się bardziej kłopotliwe i męczące, toteż myśl o wiecznym śnie nie wzbudza już takiego lęku jak w młodości.

— Mama była już wtedy chora i sądzę, że wiedziała, o czym mówi.

— Co jej odpowiedziałeś?

— Wtuliłem się w jej ramię i zapytałem, czy jest zmęczona. Uśmiechnęła się. Opowiedziałem ci o tym, bo nie sądzę, żeby Antoine był zmęczony życiem jak chorzy na depresję. Uważam, że po prostu osiągnął pewnego rodzaju mądrość życiową.

— Jak słonie — dorzuciła półgłosem Lauren.

Kiedy szli w stronę domu, Arthur nagle skręcił. Poczuł, że jest już gotów wejść do rozarium.

— Teraz zajrzymy do serca królestwa, do ogrodu różanego!

— Dlaczego nazwałeś go sercem królestwa?

— To było jej miejsce! Lili szalała na punkcie swoich róż. Róże bywały przyczyną jedynych sprzeczek między nią a Antoine'em, w każdym razie nigdy nie słyszałem, by kłócili się o coś innego. Mama znała każdy kwiat, trudno było marzyć o zerwaniu któregokolwiek tak, by tego nie zauważyła. Hodowała niewyobrażalną liczbę gatunków. Zamawiała sadzonki z katalogów, szczyciła się rzadkimi odmianami z odległych zakątków świata, a szczególnie dbała o te kwiaty, które wymagały innych niż lokalne warunków klimatycznych. Jej ulubioną grą były zakłady z ogrodnikami i uzyskiwanie wspaniałych efektów w uprawie właśnie takich roślin.

— Było ich aż tyle?

Sam doliczył się niegdyś stu trzydziestu pięciu gatunków. Kiedyś w środku nocy rozpętała się ulewa. Matka i Antoine zerwali się z łóżek i pobiegli do garażu po płachtę, która miała co najmniej dziesięć metrów szerokości i trzydzieści długości. Antoine w pośpiechu przymocował trzy rogi płachty do wysokich słupków. Czwarty trzymali we dwoje, wyciągnąwszy w górę ramiona. Jedno stało na drabinie, drugie na krzesełku sędziowskim z pola tenisowego. Spędzili noc, strząsając wodę z tego gigantycznego parasola, kiedy stawał się za ciężki. Nawałnica minęła po ponad trzech godzinach.

— Jestem pewien, że nie przejęliby się aż tak bardzo, gdyby zapalił się dom. Nie wyobrażasz sobie, jak wyglądali nazajutrz! Istne wraki! Ale rozarium zostało ocalone.

— Spójrz — zawołała Lauren, wchodząc do ogrodu — wciąż jest ich tu pełno!

— Tak, to dzikie róże, nie szkodzi im ani słońce, ani deszcz, ale gdybyś chciała którąś ściąć, załóż lepiej rękawice, bo mają dużo kolców.

Przez znaczną część dnia odkrywali i poznawali na nowo rozległy park wokół domu. Arthur pokazywał jej drzewa i znaki, które wycinał na ich korze. Mijając jeden ze świerków, wskazał miejsce, gdzie złamał obojczyk.

— Jak to się stało?

— Dojrzałem i spadłem z drzewa!

Nawet nie zauważyli, jak minął dzień. Gdy nadeszła pora, wrócili na brzeg oceanu, usiedli na skałach i podziwiali widok, który oglądają ludzie na całym świecie. Lauren rozpostarła ramiona i wykrzyknęła: „Michał Anioł ma dziś doskonały dzień!". Arthur spojrzał na nią z uśmiechem. Zaczęło się szybko ściemniać, więc schronili się w domu. Arthur zajął się ciałem Lauren. Potem rozpalił ogień w kominku salonu, gdzie usiedli razem po lekkiej kolacji.

— A ta czarna walizka? Co kryje?

— O wszystkim pamiętasz!

— Nie, po prostu uważnie cię słucham.

— Ta walizka należała do mamy. Trzymała w niej wszystkie listy i pamiątki. Wydaje mi się, że to, co w niej leży, to istota życia Lili.

— Jak to „wydaje ci się"?

Walizka stanowiła wielką tajemnicę. Cały dom stał przed nim otworem, nie mógł tylko zaglądać do szafy, w której leżała walizka. Tu obowiązywał ścisły zakaz. Arthur za nic w świecie nie odważyłby się go złamać!

— Gdzie ona jest?

— W gabinecie.

— I nie wróciłeś tu, żeby ją otworzyć? Trudno mi w to uwierzyć!

W małej czarnej walizce zamykało się całe życie jego matki. Nie chciał ponaglać czasu, odkładał tę chwilę w przekonaniu, że powinien być dorosły i naprawdę przygotowany do podjęcia ryzyka, chciał mieć pewność, że kiedy odkryje sekrety matki, potrafi je zrozumieć. Widząc sceptyczne spojrzenie Lauren, wyznał:

— Masz rację, przyznaję, że tak naprawdę zawsze bałem się tej chwili.

— Dlaczego?

— Nie wiem. Bałem się, że to odmieni jej wizerunek, ten, który nosiłem w sercu, że otworzą się stare rany.

— Przynieś ją tu!

Arthur nie ruszył się z miejsca. Lauren namawiała go, by poszedł po walizkę, tłumaczyła, że nie ma się czego obawiać. Skoro Lili zamknęła w niej całe swe życie, to z pewnością chciała, by pewnego dnia syn dowiedział się, kim była. Kochając go tak mocno, nie mogła pragnąć, żeby zachował tylko wspomnienie wyryte w dzieciństwie: „Ryzyko, jakie podejmujemy, kochając, polega na tym, że kochamy nie tylko zalety, ale i wady. Nie da się tego rozdzielić. Czego się boisz? Że będziesz osądzał własną matkę? Nie masz natury sędziego. Nie wolno ci ignorować tego, co tam ukryła. Naruszasz jej prawa. Zostawiła to wszystko, żebyś jak najlepiej ją poznał, żeby dokonać tego, na co zabrakło jej czasu, żebyś nie patrzył na nią już zawsze oczyma dziecka, ale oczyma i sercem dorosłego mężczyzny!".

Arthur rozmyślał przez chwilę nad tym, co powiedziała. Przypatrując się jej, wstał, poszedł do gabinetu i otworzył szafę. Przez moment spoglądał na czarną walizeczkę, która leżała na półce tuż przed nim. W końcu chwycił mocno wytartą rączkę i poniósł przeszłość ku teraźniejszości. Wróciwszy do saloniku, usiadł po turecku obok Lauren. Popatrzyli na siebie jak dwoje dzieci, które mają za chwilę otworzyć jaskinię Ali Baby. Arthur nabrał tchu i przycisnął oba zamki. Wieko uniosło się. Walizka była wypełniona po brzegi większymi i mniejszymi kopertami, w których leżały listy i zdjęcia. Było tam też kilka drobiazgów — samolocik z plasteliny, który Arthur ulepił na Dzień Matki, popielniczka z modeliny — gwiazdkowy prezent od syna, niewiadomego pochodzenia naszyjnik z muszelek, srebrna łyżeczka i buciki noworodka. Naprawdę była to jaskinia Ali Baby. Na samym wierzchu Arthur zobaczył przypięty agrafką do pokrywy zaklejony list. Na kopercie Lili napisała wielkimi literami: ARTHUR. Sięgnął po niego i otworzył.

Drogi Arthurze!
A zatem wróciłeś do swego domu. Czas uleczy każdą ranę, choć nie szczędzi nam blizn. W tej walizce znajdziesz wszystkie moje wspomnienia, te o Tobie i te sprzed Twoich narodzin. Jest tu wszystko, o czym nie mogłam Ci opowiedzieć, bo byłeś jeszcze dzieckiem. Dziś spojrzysz na

swoją matkę inaczej, dowiesz się o mnie wielu rzeczy. Byłam Twoją mamą, byłam kobietą, przeżywałam lęki i obawy, miałam wątpliwości, ponosiłam porażki i triumfowałam, za czymś tęskniłam, czegoś żałowałam. Aby udzielać Ci wszystkich rad, jakie ode mnie usłyszałeś, musiałam przecież popełniać błędy, i przyznaję, że często mi się to zdarzało. Rodzice są niczym góry, które przez całe lata staramy się zdobyć i pokonać, nie zdając sobie sprawy, że pewnego dnia my też zostaniemy rodzicami i przejmiemy ich rolę.

Wiedz, że nie ma nic równie trudnego jak wychowanie dziecka. Przez całe życie dajemy mu wszystko, co wydaje nam się słuszne, doskonale wiedząc, że raz po raz popełniamy błędy. Ale dla większości rodziców wszystko jest miłością, choć czasami trudno wyrzec się egoistycznych dążeń. Przecież życie to nie tylko pasmo wyrzeczeń. Gdy zamykałam tę walizkę, ogarnęła mnie obawa, że Cię rozczaruję. Nie dałam Ci dość czasu, byś mógł osądzać mnie okiem nastolatka. Nie wiem, ile będziesz miał lat, kiedy sięgniesz po ten list. Wyobrażam sobie Ciebie w tej chwili jako przystojnego trzydziestolatka. Może jesteś już nieco starszy. Boże, jak bardzo chciałabym przeżyć te wszystkie lata blisko Ciebie. Gdybyś wiedział, jak potworną czuję pustkę na myśl, że nie zobaczę już, jak rankiem otwierasz oczy, że nie usłyszę Twego głosu, kiedy mnie wołasz. Ta świadomość przyprawia mnie o cierpienie bez porównania silniejsze niż choroba, która mnie zabierze tak daleko od Ciebie.

Zawsze kochałam Antoine'a, nigdy jednak nie przeżyłam tej miłości. Bałam się, bałam się Twojego ojca, bałam się go zranić, bałam się zburzyć to, co zbudowałam, bałam się przyznać do błędu. Bałam się ustalonego ładu, bałam się zaczynać od początku, bałam się porażki, bałam się, że to wszystko tylko sen. Kiedy Twój ojciec umarł, strach pozostał, bałam się go zdradzić i bałam się o Ciebie. *To wszystko było wielkim kłamstwem. Antoine kochał mnie tak, jak każda kobieta pragnie być kochana przynajmniej raz w życiu. A ja nie potrafiłam odwzajemnić jego uczucia, ogarnięta bezgranicznym strachem. Przepraszałam za swoją słabość i pisałam własną rolę w tym melodramacie za cztery grosze, nie wiedziałam tylko, że moje życie mija tak szybko, a ja stoję ciągle na uboczu. Twój ojciec był dobrym człowiekiem, ale Antoine był tym jedynym. Nikt inny tak na mnie nie patrzył, nikt tak do mnie nie mówił. U jego boku nic nie mogło mi się stać, czułam, że ochroni mnie przed wszystkim. Rozumiał każde moje uczucie, każde pragnienie, i starał się je wszystkie zaspokoić. Jego życie było idealną harmonią, łagodnością, zdolnością dawania, podczas gdy ja szukałam walki jako racji bytu i nie umiałam przyjmować tego, co mi dawano. Biczowałam się, usiłowałam wmówić sobie, że to szczęście jest nierealne, że moje życie nie może być tak piękne. Pewnej nocy kochaliśmy się. Miałeś wtedy pięć lat. Nosiłam w łonie jego dziecko, lecz odmówiłam mu prawa do życia i nigdy nie powiedziałam o tym Antoine'owi. Ale jestem pewna, że wiedział. Zawsze potrafił odgadnąć wszystko, co mnie dotyczyło.*

Może stało się lepiej ze względu na to, co mnie dziś spotkało, czasami jednak myślę, że choroba nie rozwinęłaby się, gdybym żyła w zgodzie z sobą. Wszystkie te lata upłynęły nam w cieniu mych kłamstw. Byłam hipokrytką wobec życia i ono mi tego nie darowało. Teraz już wiesz więcej o swojej mamie. Wahałam się, czy opowiedzieć Ci o tym wszystkim, bałam się także i Twojego osądu, ale przecież sama Cię uczyłam, że najpotworniejszym z kłamstw jest to, które wmawiamy sobie. Tyle spraw i rzeczy chciałabym z Tobą dzielić, lecz los nie dał nam na to czasu. Antoine nie wychowywał Cię z mojej winy, z powodu moich błędów. Kiedy dowiedziałam się o chorobie, było za późno, by coś zmienić. W tym bałaganie, który Ci zostawiam, znajdziesz masę różnych rzeczy: zdjęcia Twoje, moje i Antoine'a, jego listy, ale nie czytaj ich, należą do mnie i są tu tylko dlatego, że nie byłam w stanie rozstać się z nimi. Może się zdziwisz, że nie ma tu zdjęć Twojego ojca. Podarłam je wszystkie pewnej nocy, ogarnięta gniewem i złością, byłam wtedy wściekła na siebie.

Kochanie, robiłam co w mej mocy. Uczyniłam to, na co stać kobietę, która ma wady i zalety, ale wiedz, że byłeś całym moim życiem, racją bytu, najpiękniejszym darem, jaki otrzymałam od losu, i największą miłością. Modlę się, abyś pewnego dnia zaznał jedynego, niepowtarzalnego uczucia, jakie rodzi się wraz z dzieckiem. Wtedy wiele zrozumiesz.

Największą dumą mego życia stało się być Twoją mamą, Twoją na zawsze.

Kocham Cię.

Lili

Arthur wsunął list do koperty i położył na walizce. Lauren zauważyła, że płacze, zbliżyła się do niego i otarła łzy palcem. Zaskoczony, zwrócił na nią wzrok i całe cierpienie zniknęło pod jej czułym spojrzeniem. Potem jej palec prześliznął się ku jego brodzie, a on dotknął dłonią jej policzka, ogarnął ramieniem i pochylił się nad nią. Kiedy ich usta się dotknęły, cofnęła się.

— Dlaczego to dla mnie robisz, Arthurze?

— Bo cię kocham, moja pani, i nic ci do tego!

Ujął ją za rękę i wyprowadził z domu.

— Dokąd idziemy?

— Nad ocean.

— Nie, tutaj — powiedziała. — Teraz.

Stanęła przed nim i zaczęła rozpinać jego koszulę.

— Jak to zrobiłaś, przecież nie mogłaś...

— O nic nie pytaj, nie wiem.

Wsunąwszy dłonie pod tkaninę, zrzuciła koszulę z jego ramion. On czuł się bezradny, nie miał pojęcia, jak rozbiera się zjawy. Uśmiechnęła się, zamknęła oczy i w ułamku sekundy wyzbyła całej odzieży.

— Wystarczy, że pomyślę o jakiejś sukni, a natychmiast mam ją na sobie. Gdybyś wiedział, jak ochoczo wykorzystywałam tę możliwość.

Już w progu domu przytuliła się i pocałowała go.

Ciało mężczyzny przeniknęło ducha Lauren, który z kolei połączył się z ciałem Arthura na czas uścisku, jak w tej magicznej chwili, kiedy słońce zlewa się z księżycem, niknąc za nim na krótki w ich wędrówce moment zaćmienia... Walizka została otwarta.

12

Inspektor Pilguez pojawił się w szpitalu o jedenastej. Przełożona telefonowała do komisariatu tuż po przejęciu zmiany, o szóstej rano. Zgłosiła porwanie. Z oddziału zniknęła pacjentka pogrążona w śpiączce.

Pilguez znalazł pozostawioną na biurku notatkę po przyjściu do pracy i tylko wzruszył ramionami, zastanawiając się, dlaczego takie sprawy musiały spadać na głowę właśnie jemu. Rozgniewany, złorzeczył Nathalii, która przydzielała zgłoszenia trafiające do centrali.

— Co ja ci zrobiłem, moja śliczna, że w poniedziałek rano obarczasz mnie czymś takim?

— Przynajmniej na początku tygodnia mógłbyś się staranniej ogolić — odpowiedziała, uśmiechając się przepraszająco.

— Ciekawa odpowiedź, mam nadzieję, że lubisz to krzesło obrotowe, bo czuję, że nieprędko się z nim rozstaniesz!

— George, jesteś statuą życzliwości ludzkiej!

— Tak, masz całkowitą rację, i właśnie dlatego wolno mi wybierać gołębie, które nafajdają mi na głowę!

Odwrócił się i odszedł. Zaczynał się zły tydzień, kolejny po tym, który ledwie dobiegł końca.

Według Pilgueza dobry tydzień składa się z dni, kiedy poli-

155

cjant wzywany jest po to, by rozstrzygnąć spór między sąsiadami albo dopilnować przestrzegania kodeksu cywilnego. Istnienie wydziału kryminalnego uważał za nonsens, oznaczało ono bowiem, że w mieście jest spora grupa wykolejeńców, zdolnych mordować i gwałcić przyzwoitych ludzi, a teraz na dodatek porywać ze szpitala nieprzytomnych pacjentów. Czasami przychodziło mu na myśl, że po trzydziestu latach pracy nic już nie może go zaskoczyć, mimo to co tydzień musiał przesuwać granicę ludzkiego szaleństwa.

— Nathalio! — wrzasnął, nie ruszając się zza biurka.

— Słucham? — odezwała się dyspozytorka. — Miałeś kiepski weekend?

— Mogłabyś skoczyć na dół i kupić mi pączki?

Wpatrując się w notatnik i obgryzając długopis, pokręciła przecząco głową.

— Nathalio! — wrzasnął znowu.

Ale dyspozytorka wpisywała numery nocnych raportów do specjalnej rubryki w księdze. Ponieważ rubryki były ciasne, a szef „Siódmego", jej zwierzchnik, był pedantem, starała się pisać maczkiem, nie wychodząc poza linie. Nie odrywając oczu od stronicy, odpowiedziała:

— Tak, wiem, George, zaraz mi powiesz, że dziś wieczorem przechodzisz na emeryturę.

Poderwał się z miejsca i stanął przed nią.

— Jesteś złośliwa!

— Może kupiłbyś sobie coś, na czym mógłbyś wyładować zły humor?

— Nie. Wolę wyładować go na tobie, bo w ten sposób zapracowujesz przynajmniej na połowę pensji, którą ci tu dają.

— Zaraz wepchnę ci te twoje pączki w gębę, lepiej uważaj, kaczorze!

— Coś ci się poplątało. Nazywają nas glinami, słyszałem też o mendach, ale nie mam pojęcia, skąd ci się wziął ten kaczor!

— Po prostu jesteś obrzydliwym, starym kaczorem, który nie potrafi nawet latać, drepczesz jak stary kaczor. Dość tego, bierz się do roboty i zostaw mnie w spokoju.

— Jesteś taka piękna, Nathalio.

— Jasne, a ty jesteś równie uroczy jak twoje paskudne humory.

— No, skarbie, ubierz się w kaftanik po babci, skoczymy na kawę.

— A kto będzie za mnie przyjmował zgłoszenia?

— Czekaj, nie ruszaj się, zaraz zobaczysz.

Odwrócił się i szybkim krokiem podszedł do młodego stażysty, który układał teczki w drugim końcu pomieszczenia. Wziął go pod rękę i podprowadził do biurka przy wejściu.

— Proszę, chłopcze, zasiądziesz na tym krześle. Ma kółka i aż dwa oparcia, bo pani dobrze sobie na nie zapracowała — wyobraź sobie, dwa miękkie oparcia dla zmęczonych rąk! Możesz się trochę pokręcić, ale nie przekraczaj limitu dwóch pełnych obrotów w jedną stronę i odbieraj telefon, kiedy zabrzęczy. Masz powiedzieć: „Dzień dobry, komisariat miejski, wydział kryminalny, słucham", potem wysłuchać i zapisać wszystko na tych kartkach. Żadnego wychodzenia na siusiu, dopóki nie wrócimy. A gdyby ktoś pytał, gdzie jest Nathalia, powiesz, że nagle dopadły ją te tam babskie sprawy i wybiegła jak szalona do apteki. Sądzisz, że te obowiązki cię nie przerastają?

— Jeżeli dzięki temu nie będę musiał iść z panem na kawę, inspektorze, mogę jeszcze posprzątać w toalecie!

George zignorował uwagę, wziął Nathalię pod rękę i poprowadził ją ku schodom.

— Twojej babci musiało być do twarzy w tym kaftaniku — rzekł, uśmiechając się.

— Chyba umrę tu z nudów, kiedy wyślą cię na emeryturę!

Na rogu ulicy gasł i zapalał się z trzaskiem czerwony neon, który pamiętał jeszcze lata pięćdziesiąte. Litery układające się w napis: „The Finzy Bar" odbijały się bladym światłem w szybie starego bistro. Finzy miał już za sobą dni świetności. Obecnie z popadającego w niepamięć miejsca pozostały jedynie dekoracje na ścianach, pożółkłych sufitach i na poczerniałej przez te wszystkie lata boazerii, i nadszarpnięty zębem czasu parkiet, wydeptany przez tysiące podchmielonych facetów, świadek przelotnych znajomości. Temu, kto spojrzał na lokal z przeciwnej strony ulicy, przypominał on obrazy Hoopera. George i Nathalia przeszli przez jezdnię, by po chwili usiąść przy starym drewnianym barze i zamówić dwie duże kawy.

— Naprawdę miałeś taką kiepską niedzielę, stary niedźwiedziu?

— Gdybyś wiedziała, jak potwornie nudzę się w weekendy! Kręcę się w kółko bez celu.

— Wszystko dlatego, że w niedzielę nie poszłam z tobą na obiad?

Potwierdził skinieniem głowy.

— Idź do muzeum, rusz się!

— Jeżeli pójdę do muzeum, to w ciągu kilku sekund przyłapię jakiegoś kieszonkowca i zaraz wyląduję na posterunku.

— To wybierz się do kina.

— Kiedy jest ciemno, zasypiam.

— W takim razie idź na spacer!

— Świetna myśl, pójdę na spacer, przynajmniej nie będę wyglądał jak jakiś dureń, który szlifuje bruki. Co robisz? Nic, spaceruję! Ale skoro już mowa o weekendach, dobrze ci się układa z nowym chłopakiem?

— Nic nadzwyczajnego, ale przynajmniej się nie nudzę.

— Wiesz, jaką wadę mają faceci? — zapytał George.

— Nie, jakie mają wady?

— Faceci nie powinni nudzić się z dziewczyną taką jak ty. Gdybym był o piętnaście lat młodszy, wpisałbym się do twojego balowego karnetu!

— Przecież jesteś o piętnaście lat młodszy, niż ci się wydaje, George.

— Mam to uznać za zachętę?

— Za komplement. To też coś. Muszę już wracać do pracy, a ty jedź do szpitala, ta kobieta była naprawdę przerażona.

*

George spotkał się z siostrą przełożoną Jarkowicki. Obrzuciła przenikliwym spojrzeniem otyłego, niestarannie ogolonego mężczyznę, który mimo to miał w sobie pewną elegancję.

— To przerażające — powiedziała. — Nic takiego nigdy nam się jeszcze nie zdarzyło.

Tym samym tonem dodała, że przewodniczący rady był bardzo zdenerwowany i chce spotkać się z komisarzem po południu. Wczesnym wieczorem będzie musiał poinformować o tym wydarzeniu zarząd.

— Panie inspektorze, odnajdzie nam ją pan?

— Może zechce pani opowiedzieć mi o wszystkim od samego początku.

Jarkowicki poinformowała go, że porwania dokonano z całą pewnością podczas wymiany ekip. Nie zdołano jeszcze skontaktować się z pielęgniarką z popołudniowej zmiany, jednak dyżurująca nocą była absolutnie pewna, że podczas obchodu o drugiej nad ranem łóżko było puste. Sądziła, że pacjentka zmarła, a pościeli jeszcze nie zdjęto, jako że zwyczaj nakazuje, by po zgonie chorego przez dwadzieścia cztery godziny łóżko pozostało wolne. Dopiero Jarkowicki, która przejęła zmianę, o szóstej rano, zorientowała się, co zaszło, i natychmiast powiadomiła policję.

— Może po prostu ocknęła się ze śpiączki, a ponieważ miała dość tego hotelu, wybrała się na przechadzkę. Ma do tego pełne prawo, skoro od tak dawna leżała przykuta do łóżka.

— Doceniam pańskie poczucie humoru, może wobec tego spróbuje pan rozbawić jej matkę. Siedzi teraz w gabinecie jednego z lekarzy, pojawi się tu lada chwila.

— Tak, oczywiście — zmieszał się Pilguez, wbijając wzrok w podłogę. — Jednak jakie pobudki mogłyby kierować porywaczem?

— Czy to ma jakiekolwiek znaczenie? — odpowiedziała pielęgniarka, nie kryjąc znużenia, jakby takie dociekania były, jej zdaniem, czystą stratą czasu.

— Może pani wyda się to dziwne — rzekł, patrząc jej w oczy — ale dziewięćdziesiąt dziewięć procent przestępstw ma jakiś motyw. Przyzna pani, że na ogół nikt nie wpada w niedzielny wieczór do szpitala, żeby wywieźć ukradkiem pacjenta w stanie śpiączki. Raczej trudno uwierzyć, by ktoś zrobił to wyłącznie dla rozrywki. A właśnie, czy jest pani absolutnie pewna, że pacjentka nie została przeniesiona na inny oddział?

— Jestem pewna. W rejestracji pozostały dokumenty transferowe, kobietę wywieziono karetką.

— Do której kompanii należał ten wóz? — zapytał, sięgając po ołówek.

— Do żadnej.

Kiedy Jarkowicki zjawiła się dziś rano, nawet na myśl jej nie przyszło porwanie. Powiadomiono ją, że łóżko w pokoju 505 jest wolne, więc natychmiast udała się do rejestracji, uznała bowiem, że nie może tolerować dokonywania transferu pacjentów bez jej wiedzy.

— Ale wie pan jak to jest, w dzisiejszych czasach często lekceważy się przełożonych... — westchnęła. — Cóż, jednak nie w tym rzecz.

Rejestratorka przekazała jej dokumenty, a ona natychmiast zauważyła, że coś jest nie w porządku. Brakowało jednego formularza, a niebieski został źle wypełniony.

— Zastanawiam się, jak to możliwe, że ta kretynka dała się nabrać...

Pilguez pragnął ustalić tożsamość „kretynki".

— Ma na imię Emmanuelle i wczoraj dyżurowała w rejestracji. To ona pozwoliła się oszukać.

George miał już dość gadatliwej przełożonej, a ponieważ była nieobecna, gdy nastąpiły te dziwne wydarzenia, zanotował dane osób, które pełniły dyżur minionego wieczoru, i pożegnał ją. Z samochodu zadzwonił do Nathalii i polecił jej skontaktować się ze wszystkimi pracownikami nocnej zmiany i poprosić, by przed udaniem się do pracy przyszli do komisariatu. Późnym popołudniem zakończył wstępne przesłuchania i wiedział już, że nocą z niedzieli na poniedziałek fałszywy lekarz w fartuchu skradzionym prawdziwemu lekarzowi, nawiasem mówiąc, bardzo niesympatycznemu, pojawił się w szpitalu wraz z noszowym. Ci dwaj okazali w rejestracji sfałszowane dokumenty transferowe. Oszuści bez problemów wywieźli Lauren Kline, pacjentkę pogrążoną w głębokiej śpiączce. Uzyskane najpóźniej zeznanie stażysty pozwoliło skorygować raport — fałszywy lekarz mógł się jednak okazać prawdziwym lekarzem, ponieważ wezwany na pomoc przez owego stażystę, wykazał fachową wiedzę, duże umiejętności i zimną krew. Z zeznań pielęgniarki, która uczestniczyła w tej nieprzewidzianej akcji, precyzja, z jaką wykonał nakłucie osierdziowe, wskazywała, że jest chirurgiem albo przynajmniej doświadczonym lekarzem pogotowia. Pilguez zapytał, czy tego rodzaju zabieg mógłby wykonać zwykły pielęgniarz. Dowiedział się, że w zasadzie tak, ale tylko pielęgniarz lub pielęgniarka przygotowani do tej pracy, natomiast wydawane przez nieznajomego polecenia, jego decyzje, wskazówki udzielone stażyście oraz wprawa, z jaką dokonał wkłucia świadczyły raczej o przynależności do grona lekarzy.

*

— Czego dowiedziałeś się w tej sprawie? — zapytała gotowa już do wyjścia Nathalia.

— Wiem, że coś tu nie gra. Konował, który przyjechał do szpitala, żeby wywieźć ciało pacjentki w śpiączce. Fachowość, lipny ambulans, podrobione dokumenty.

— Coś podejrzewasz?

— Może to handel narządami. Kradną ciała, przewożą je do jakiegoś nielegalnego laboratorium, tam operują i pobierają potrzebne im narządy — wątrobę, nerki, serce, płuca, a potem sprzedają to wszystko za bajońskie sumy naruszającym prawo klinikom, dla których liczy się tylko zysk.

Poprosił, żeby postarała się zdobyć listę wszystkich prywatnych szpitali i klinik, dysponujących blokiem operacyjnym z prawdziwego zdarzenia, a borykających się z problemami finansowymi.

— Minęła dziewiąta i chciałabym wreszcie wrócić do domu, grubasie. Ta sprawa może chyba poczekać do jutra, przecież i tak twoje szpitale nie przygotują bilansu zysków i strat przez tę noc.

— Widzisz, jak bardzo jesteś niestała? Rano chciałaś wpisać mnie do karnetu, a po kilku godzinach odmawiasz spędzenia w moim towarzystwie upojnego wieczoru! Jesteś mi potrzebna, Nathalio, pomóż mi, dobrze?

— Usiłujesz mną manipulować, mój drogi. Rano nawet twój głos ma inne brzmienie!

— Może, ale teraz jest wieczór. Pomożesz mi? Zdejmij kaftanik babci i chodź tu do mnie.

— Kiedy tak ładnie prosisz, nie sposób ci się oprzeć. Życzę miłego wieczoru.

— Nathalio!

— Słucham cię, George!

— Jesteś zachwycająca!

— George, moje serce nie jest do wzięcia.

— Nie mierzyłem tak wysoko, moja droga!

— Sam to wymyśliłeś?

— Nie!

— Tak właśnie przypuszczałam.

— Dobrze, trudno, wracaj do domu, jakoś sobie poradzę.

Nathalia podeszła do drzwi, odwróciła się i zapytała:

— Na pewno dasz sobie radę?

— Jasne, idź zaopiekować się swoim kotem!

— Jestem uczulona na koty!

— W takim razie zostań i pomóż mi.

— Dobranoc.

I zbiegła po schodach, ledwie dotykając dłonią poręczy.

*

Policjanci pełniący nocną służbę zajmowali pomieszczenia na parterze posterunku, toteż George pozostał sam na piętrze. Włączył komputer i wszedł do katalogu głównego. Wystukał na klawiaturze hasło „klinika" i zapalił papierosa, oczekując, aż serwer przeprowadzi poszukiwania. Po paru minutach drukarka zaczęła wypluwać zapisany papier. W sumie zebrało się tego prawie sześćdziesiąt stron. Naburmuszony zebrał stos papierów i przeniósł go na swoje biurko. Teraz trzeba to tylko przewertować! Żeby wybrać te, które mogą być w opałach, muszę jedynie skontaktować się z setką banków regionalnych i poprosić o dostarczenie list prywatnych zakładów leczniczych, zabiegających w ciągu ostatnich dziesięciu miesięcy o pożyczki. Mówił do siebie, kiedy z półmroku hallu dobiegł go głos Nathalii:

— Dlaczego akurat w ciągu ostatnich dziesięciu?

— Bo tak podpowiada mi intuicja starego gliny. Dlaczego wróciłaś?

— Bo tak podszepnęła mi kobieca intuicja.

— Miło z twojej strony.

— Nie ciesz się. Wszystko zależy od tego, dokąd zaprosisz mnie potem na kolację. Sądzisz, że na coś trafiłeś?

Obrany trop wydawał mu się zbyt oczywisty. Pilguez poprosił Nathalię, żeby skontaktowała się z dyżurnym nadzorującym patrole miejskie i dowiedziała, czy w raportach nie ma wzmianki o ambulansie krążącym po mieście nocą z niedzieli na poniedziałek.

— Kto wie, może będziemy mieli łut szczęścia! — powiedział.

Nathalia podniosła słuchawkę. Dyżurny policjant, z którym się połączyła, przejrzał komputerowe zestawienie raportów, ale żaden z nich nie wspominał o ambulansie. Nathalia poprosiła, żeby objął poszukiwaniami cały region, ale i tym razem odpowiedź była negatywna. Dyżurny żałował, że nie może jej pomóc, ale tamtej nocy żaden pojazd służb ratowniczych nie naruszył przepisów ani nawet nie został poddany kontroli. Nathalia poprosiła jeszcze, by powiadomił ją o ewentualnych wzmiankach na temat ambulansów w ciągu najbliższych dni, i rozłączyła się.

— Przykro mi, niczego nie znaleźli.

— W takim razie zapraszam cię na kolację. W bankach i tak niczego się już dziś nie dowiemy.

Poszli do Perry'ego i usiedli przy stoliku w sali, której okna wychodziły na ulicę.

George z roztargnieniem słuchał Nathalii, a jego spojrzenie wędrowało gdzieś w dal.

— George, od jak dawna się znamy?

— Nie zadaje się takich pytań, moja śliczna.

— A to dlaczego?

— Kto kocha, nie liczy dni!

— Od jak dawna?

— Wystarczająco długo, żebyś nauczyła się mnie tolerować, za krótko, żebyś przestała mnie znosić!

— Nie, z pewnością znacznie dłużej!

— Pomysł z klinikami nie trzyma się kupy. Nie potrafię znaleźć motywu! Jaki mógł być cel porwania?

— Rozmawiałeś z jej matką?

— Pomówię z nią jutro rano.

— Może to ona, może znudziło się jej siedzenie w szpitalu.

— Nie pleć głupstw, żadna matka nie podjęłaby takiego ryzyka.

— Może chciała z tym skończyć. Wyobraź sobie, jak się czuła, patrząc codziennie na swoje dziecko znajdujące się w takim stanie. Czasami człowiek wolałby chyba, żeby to się skończyło, i godzi się z myślą o śmierci.

— Wyobrażasz sobie, że matka zorganizowałaby taką akcję, żeby zabić własną córkę?

— Nie, masz rację, to zbyt pogmatwane.

— Dopóki nie poznam motywu działania, nie wykryję sprawcy.

— Przecież masz trop klinik.

— Moim zdaniem to ślepy zaułek, a intuicja rzadko mnie zawodzi.

— Teraz tak mówisz? A chciałeś, żebym została z tobą w biurze i pomagała w pracy!

— Po prostu chciałem zjeść z tobą kolację! Za bardzo rzucali się w oczy! Nie mogliby próbować tego po raz drugi, wszystkie okoliczne szpitale wzmogą teraz czujność, a nie przypuszczam, żeby zysk z jednego ciała wart był takiego ryzyka. Powiedz, ile kosztuje nerka?

— Dwie nerki, wątroba, śledziona i serce to w sumie około stu pięćdziesięciu tysięcy dolarów.

— U rzeźnika byłoby taniej!

— Jesteś beznadziejny.

— Sama widzisz, że to się kupy nie trzyma. Klinice, która ma problemy finansowe, sto pięćdziesiąt tysięcy nie pomoże. Tu nie chodzi o pieniądze.

— Może to kwestia zgodności.

Uważnie słuchał, gdy mówiła, że czyjaś śmierć albo życie zależą często od znalezienia odpowiedniego dawcy, od zgodności organu. Ludzie umierają, bo nie znaleziono na czas nadającej się do przeszczepu nerki czy wątroby. Jeżeli ktoś ma dość pieniędzy, by zlecić porwanie pogrążonej w śpiączce osoby, może w ten sposób ocalić życie swojego dziecka albo własne. Pilguez uznał, że wyjaśnienie, chociaż dość skomplikowane, jest wiarygodne. Nathalia uważała, że jej pomysł jest całkiem prosty. Ale Pilguez patrzył na problem z własnego punktu widzenia. Idąc tym tropem, musiał znacznie poszerzyć krąg podejrzanych. Nie mógł ograniczyć się do sfer przestępczych. Żeby przeżyć albo uratować dziecko, niejeden miałby ochotę dobić kogoś, kto znajduje się w stanie śmierci klinicznej. Sprawca może nie poczuwać się do winy za zbrodnię, usprawiedliwiając odebranie dogasającego życia chęcią ratowania człowieka.

— Myślisz, że trzeba będzie sprawdzić wszystkie kliniki, szukając majętnego pacjenta czekającego na dawcę? — zapytała.

— Mam nadzieję, że nie, bo to mrówcza praca, w dodatku na podminowanym terenie.

Zadzwonił telefon komórkowy Nathalii. Przeprosiła i odebrała. Słuchała uważnie, zapisując coś na serwetce i raz po raz dziękując rozmówcy.

— Kto dzwonił?

— Facet z dyspozytorni, ten, z którym wcześniej rozmawiałam.

— I co?

Dyżurny pomyślał, że warto przesłać informację do nocnych patroli, żeby upewnić się, czy któraś z ekip nie zauważyła jakiegoś podejrzanego ambulansu. Mogło się zdarzyć, że sprawa nie wydała się policjantom godna odnotowania w raporcie.

— Co powiedział?

— Trafił w dziesiątkę. Jeden z patroli zatrzymał, a potem śledził jakiś archaiczny ambulans. Krążył wczoraj wieczorem po Green Street, Filbert i Union Street.

— Nieźle się zaczyna. Czego się dowiedział od policjantów?

— Że zagadnęli faceta, który siedział za kierownicą. Opowiedział im, że wóz idzie na zasłużoną emeryturę po dziesięciu latach wiernej służby. Pomyśleli, że przykro mu rozstać się z samochodem i dlatego krąży po mieście, odwlekając chwilę rozstania.

— Zapamiętali markę?

— Ford, rocznik siedemdziesiąty pierwszy.

Pilguez szybko dokonał obliczeń. Jeżeli ford, złomowany tego wieczoru po dziesięciu latach jazdy, został wyprodukowany w roku siedemdziesiątym pierwszym, to musiał stać w fabryce przez szesnaście lat i dopiero potem trafić do użytkownika. Kierowca opowiedział policjantom bajkę. Nareszcie trafili na jakiś trop.

— To jeszcze nie wszystko — dodała Nathalia.

— Mów!

— Pojechali za nim do warsztatu, w którym pozostawił wóz. Mają adres.

— Wiesz, co ci powiem, Nathalio? Dobrze, że nie jesteśmy razem!

— Dlaczego mówisz to właśnie teraz?

— Bo przyprawiłabyś mi rogi!

— Ja też coś ci powiem, George. Jesteś potwornym durniem. Chcesz tam zaraz jechać?

— Nie. Poczekam do rana. Warsztat jest pewnie zamknięty, a bez nakazu nic nie wskóram. Poza tym wolę się rozejrzeć, nie zwracając na siebie uwagi. Nie poluję na ambulans, tylko na facetów, którzy go wykorzystali. Lepiej będzie, jeżeli pojawię się tam jako człowiek z ulicy, inaczej zwierzyna umknie do nory.

Pilguez uregulował rachunek i oboje wyszli na ulicę. Ambulans zatrzymano o przecznicę od restauracji, w której jedli, toteż George spoglądał w tamtym kierunku, jakby liczył, że coś odkryje.

— Chciałbyś sprawić mi przyjemność? — zapytała Nathalia.

— Nie wiem, ale na pewno zaraz mi powiesz, o co ci chodzi.

— Przenocuj dzisiaj u mnie. Nie chcę być sama tej nocy.

— A masz szczoteczkę do zębów?

— I to twoją!

— Lubię ci dokuczać, tylko przy tobie dobrze się bawię. Chodź, idziemy. Ja też chciałem spędzić z tobą ten wieczór. Minęło już tyle czasu!

— Tak, od ostatniego czwartku!

— Przecież mówię!

Kiedy półtorej godziny potem gasili światło, George był pewien, że rozwikła tę zagadkę, a w połowie przypadków jego przeczucia okazywały się słuszne. Wtorek był owocnym dniem. Rozmowa z panią Kline rozwiała wszelkie podejrzenia wobec niej. Pilguez dowiedział się, że lekarze sami zaproponowali, żeby położyć kres wegetacji jej córki. Prawo od dwóch lat przymykało oczy na tego rodzaju poczynania. Matka chętnie współpracowała z policją, bez wątpienia zniknięcie córki było dla niej wstrząsem, a Pilguez potrafił odróżnić szczere cierpienie od pozorowanego bólu. W warsztacie odnalazł podejrzany pojazd. Wizyta w tym miejscu przyniosła pewne zaskoczenie — warsztat specjalizował się w naprawach samochodów służb ratowniczych. Trafiały tu wyłącznie karetki oczekujące na przegląd, toteż policjant nie mógł udawać przypadkowego klienta. Właściciel zatrudniał czterdziestu mechaników oraz dziesięciu pracowników biur. W sumie było więc pięćdziesięciu potencjalnych podejrzanych. Właściciel z powątpiewaniem słuchał opowieści inspektora, zastanawiając się, co powodowało przestępcami, którzy zamiast definitywnie pozbyć się ukradzionego samochodu, uprzejmie odprowadzili go na miejsce. Pilguez odparł, że kradzież zostałaby zgłoszona policji i mogłaby ją naprowadzić na trop sprawców. Najprawdopodobniej któryś z pracowników był zamieszany w to dziwne porwanie, a „wypożyczenie" wozu mogło pozostać niezauważone.

Trzeba było jednak ustalić, kto współdziałał ze złoczyńcami. Zdaniem właściciela — nikt, nie dopuszczono się bowiem włamania, a żaden z pracowników nie miał kluczy do warsztatu i nie mógłby niepostrzeżenie wejść tu nocą. Inspektor pytał właściciela, co jego zdaniem skłoniło sprawców do wzięcia tak starego ambulansu. Okazało się, że był jedynym, który prowadziło się jak typowy samochód. Pilguez uznał, że to potwierdza słuszność jego podejrzeń — w sprawę zamieszany był któryś z pracowników. Na pytanie, czy istnieje możliwość wykradzenia klucza i dorobienia duplikatu w godzinach pracy, właściciel odpowiedział twierdząco:

— Można to wziąć pod uwagę. W południe, podczas przerwy, zamykamy bramę.

A zatem wszyscy byli podejrzani. Pilguez zażądał wydania teczek pracowników. Na wierzchu ułożył zawierające dokumenty tych, którzy odeszli w ciągu dwóch ostatnich lat. Na posterunku pojawił się około czternastej. Nathalia nie wróciła jeszcze po przerwie obiadowej, toteż sam przystąpił do gruntownej analizy pięćdziesięciu siedmiu teczek z dokumentami. Nathalia przyszła dopiero o piętnastej, prosto od fryzjera. Była w pełni przygotowana do odparcia sarkastycznych uwag kolegi z pracy.

— Lepiej milcz, George, bo palniesz jakieś głupstwo — powiedziała, nim jeszcze odstawiła torebkę.

Oderwał wzrok od dokumentów, zmierzył ją spojrzeniem od stóp do głów i uśmiechnął się. Nie zdążył jednak nic powiedzieć, a już podeszła i położyła mu palec na ustach:

— Mam coś, jeżeli obiecasz powstrzymać się od komentarzy, zgoda?

George wydął policzki, udając, że ma w ustach knebel i wydał z siebie pomruk, który miał wyrażać akceptację warunków umowy. Zdjęła palec z jego ust.

— Dzwoniła matka tej dziewczyny. Przypomniała sobie jakiś istotny szczegół i prosiła, żebyś się z nią skontaktował. Jest w domu, czeka na twój telefon.

— O, zmieniłaś fryzurę, bardzo ci w niej ładnie!

Nathalia uśmiechnęła się i usiadła przy swoim biurku. Podczas rozmowy telefonicznej pani Kline poinformowała Pilgueza o dziwnej dyskusji z młodym mężczyzną, którego poznała przypadkowo w Marinie. Ten nieznajomy prawił jej kazania, zdecydowanie potępiając eutanazję.

Szczegółowo opowiedziała mu o spotkaniu z architektem, który rzekomo poznał Lauren, kiedy zranił się i trafił na ostry dyżur. Twierdził, że często zdarzało mu się jadać obiady w towarzystwie Lauren. Mimo że pies wyraźnie go znał, pani Kline trudno było uwierzyć, że córka nigdy jej o nim nie wspomniała, choć podobno widywali się od dwóch lat. Ten ostatni szczegół z pewnością ułatwi śledztwo.

— Krótko mówiąc — podsumował Pilguez — chce pani,

żebym odnalazł architekta, który zranił się dwa lata temu i był pacjentem pani córki. Mamy go podejrzewać, ponieważ podczas przypadkowego spotkania zdeklarował się jako przeciwnik eutanazji?

— Nie wydaje się panu, że to istotny motyw? — zapytała.

— Nie, raczej nie — powiedział i odłożył słuchawkę.

— O co chodziło? — zainteresowała się Nathalia.

— Chyba jednak było ci lepiej w dłuższych włosach.

— Rozumiem, za wcześnie się ucieszyłeś!

Inspektor powrócił do swych teczek, ale żadna do niego nie przemówiła. Poirytowany, chwycił słuchawkę, przytrzymał ramieniem i wykręcił numer centrali szpitalnej. Telefonistka odebrała po dziewiątym dzwonku.

— Przy was można by spokojnie umrzeć!

— W tej sprawie proszę telefonować bezpośrednio do kostnicy! — zareplikowała bez namysłu.

Pilguez przedstawił się i zapytał, czy system informatyczny Memorialu umożliwia wyszukanie pacjenta na podstawie zawodu i rodzaju schorzenia, który zgłosił się do izby przyjęć.

— Zależy, jaki okres pana interesuje — odpowiedziała. I dodała natychmiast, że nie wolno jej udzielać informacji dotyczących pacjentów, zwłaszcza telefonicznie.

Rzucił słuchawkę, wziął płaszcz i bez słowa opuścił biuro. Zbiegł po schodach i szybkim krokiem ruszył w stronę samochodu. Jechał przez miasto na sygnale i klął jak szewc. Po niespełna dziesięciu minutach dotarł do Memorial Hospital i stanął przed dyżurującą w rejestracji pielęgniarką.

— Prosicie mnie tu, żebym odnalazł młodą kobietę w stanie śpiączki, tę, którą ktoś od was „wypożyczył" nocą z niedzieli na poniedziałek. Albo zechcecie mi w tym pomóc i przestaniecie ględzić o zakichanej tajemnicy lekarskiej, albo zajmę się czymś innym.

— W czym mogę panu pomóc? — zapytała Jarkowicki, która właśnie pojawiła się w drzwiach.

— Proszę mi powiedzieć, czy szpitalne komputery mogą

wyszukać wśród pacjentów architekta, który uległ wypadkowi i trafił do waszej zaginionej, a ona zszyła mu ranę.

— Kiedy to miało miejsce?

— Powiedzmy, że przed dwoma laty.

Pochyliła się nad klawiaturą i wystukała hasło.

— Zaraz przejrzymy listę zgłoszeń i poszukamy architekta — powiedziała. — To potrwa kilka minut.

— Zaczekam.

Po sześciu minutach na ekranie wyświetliła się odpowiedź.

— W ciągu dwóch ostatnich lat nie zgłosił się do nas architekt, któremu założono by szwy.

— Jest pani pewna?

Wykluczyła możliwość pomyłki, rubrykę „zawód" wypełniano skrupulatnie ze względu na ubezpieczenia oraz statystyki dotyczące wypadków przy pracy. Pilguez podziękował i natychmiast udał się na posterunek. Ta sprawa zaczynała go dręczyć. Z doświadczenia wiedział, że kiedy ogarnia go ten rodzaj niepokoju, w jednej chwili potrafi wybrać właściwy trop, odrzucając wszystkie pozostałe. Musiał tylko poczuć, że trzyma w ręku nić wiodącą do kłębka. Sięgnął po telefon komórkowy i połączył się z Nathalią.

— Sprawdź, czy w rejonie, po którym krążył ambulans, mieszka jakiś architekt. Czekam na wiadomość.

— To było w kwartale Union, Filbert, Green...?

— I Webster, ale rozszerz poszukiwania o dwie przecznice.

— Za chwilę oddzwonię — rzekła i odłożyła słuchawkę.

*

W okolicy działały trzy firmy architektoniczne i mieszkał jeden architekt. Tylko prywatne mieszkanie znajdowało się w węższym kręgu poszukiwań. Jedna z pracowni mieściła się przy ulicy przylegającej do sprawdzanego kwartału, dwie pozostałe — o dwie ulice dalej. Po powrocie do biura inspektor zatelefonował do wszystkich firm, by dowiedzieć się, ile osób zatrudniały. Łącznie było ich dwadzieścia siedem. W ten sposób o osiemnastej trzydzieści lista podejrzanych wydłużyła się do około osiemdziesięciu osób. Być może któraś z nich oczekiwała na dawcę narządu lub miała wśród najbliższych kogoś, komu niezbędny był przeszczep. Pilguez zamyślił się na kilka minut, po czym zwrócił się do Nathalii.

— Czy przez najbliższe dni będziemy tu mieli nadmiar stażystów?

— Nigdy nie miewamy nadmiaru ludzi! Gdyby było inaczej, wracałabym do domu o przyzwoitej porze i nie zostałabym starą panną.

— Sprawiasz mi przykrość, słoneczko. Wyślij któregoś pod dom tego architekta, który mieszka między Union, Filbert, Green i Webster. Może uda mu się sfotografować faceta, kiedy wyjdzie z domu.

Nazajutrz rano Pilguez dowiedział się, że stażysta nic nie wskórał — architekt nie wrócił do domu na noc.

— Bingo! — zawołał inspektor, zwracając się do początkującego kolegi. — Dziś wieczorem masz mi dostarczyć pełne dossier tego gościa. Wiek, czy jest pedałem, czy ćpa, gdzie pracuje, czy ma psa, kota albo papugę, gdzie się teraz znajduje, gdzie studiował, czy służył w wojsku, jakie ma nawyki i dziwactwa. Skontaktuj się z armią, z FBI, rób co chcesz, ale muszę wszystko o nim wiedzieć.

— Sam jestem pedałem, panie inspektorze! — wypalił z dumą stażysta — ale to wcale nie przeszkadza mi w wykonaniu zadania, które mi pan powierzył.

Inspektor zasępił się i przez resztę dnia próbował ułożyć zebrane informacje w spójną całość, lecz wyniki tej pracy nie napawały optymizmem. Choć dzięki łutowi szczęścia udało się odnaleźć ambulans, teczki personalne pracowników warsztatu nie dawały podstaw do podejrzeń, to zaś oznaczało, że czeka go wiele przesłuchań, które trzeba będzie prowadzić po omacku. Należało też przyjrzeć się bliżej grupie architektów, którzy pracowali lub mieszkali w rewirze, gdzie w noc porwania zauważono jeżdżący rzekomo bez celu ambulans.

Może na jednego z nich padnie podejrzenie, którego podstawą będzie fakt, że głaskał psa ofiary i nie krył, że jest przeciwnikiem eutanazji. Pilguez zdawał sobie jednak sprawę, że trudno to uznać za wiarygodny motyw porwania.

— Gówniane śledztwo — mruknął.

*

W środę rano słońce wzeszło nad Carmelem zasnute tylko lekką mgiełką. Lauren wstała bardzo wcześnie. Wyszła z sypialni, żeby nie obudzić Arthura, i rozpaczała nad swą bezradnością — że też nie może mu przygotować nawet najprostszego śniadania! W końcu jednak doszła do wniosku, że losowi należy się wdzięczność, skoro w całej tej dziwacznej sytuacji dał im przynajmniej zdolność dotykania się, odczuwania i kochania, jakby Lauren była w pełni żywą kobietą. Działo się coś, czego nigdy nie zdoła, ba, nawet nie będzie próbowała pojąć. Przypomniała sobie, co któregoś dnia powiedział jej ojciec:

Nie ma rzeczy niemożliwych, tylko nasz ograniczony umysł uznaje pewne zjawiska za niepojęte i nierealne. Często trzeba rozwiązać wiele równań, by przyjąć nowy sposób rozumowania. To kwestia czasu i możliwości ludzkiego mózgu. Aby dokonać pierwszego przeszczepu serca, zbudować ważący trzysta pięćdziesiąt ton samolot, który wzbija się w powietrze, czy dotrzeć na Księżyc, trzeba było nie tylko ogromu pracy, ale przede wszystkim wyobraźni. A zatem, kiedy nasi wielce uczeni naukowcy odrzucają możliwość dokonania przeszczepu mózgu, przemieszczania się z prędkością światła albo klonowania człowieka, myślę sobie, że w sumie nie nauczyli się niczego o własnych ograniczeniach i nie zrozumieli, że należy uznać, iż wszystko jest możliwe, i pozostaje tylko kwestią czasu, by uzmysłowić sobie, jak to możliwe.

Wszystko, co przeżywała i czego doświadczała, było nielogiczne, niewytłumaczalne, sprzeczne z całą jej wiedzą, ale przecież b y ł o. A od dwóch dni uprawiała miłość z mężczyzną, doznając uczuć i wrażeń, jakich sobie nie wyobrażała nawet wówczas, gdy w pełni żyła, gdy jej ciało i duch stanowiły jedność. Kiedy patrzyła na wspaniałą ognistą kulę wznoszącą się ponad horyzont, uświadamiała sobie, że tym, czego pragnie ponad wszystko, jest być tu z nim jak najdłużej.

Arthur obudził się wkrótce po niej. Nie otwierając oczu, szukał jej w łóżku, potem włożył szlafrok i wyszedł przed dom. Miał potargane włosy, więc przeczesał je palcami i trochę uładził. Odnalazł Lauren na skałach i oplótł ramionami, nim zauważyła jego obecność.

— Niesamowity widok — powiedział.

— Wiesz, pomyślałam, że skoro możemy nie budować przyszłości, powinniśmy zamknąć walizkę i żyć teraźniejszością. Napijesz się kawy?

— Chyba nie potrafię się bez niej obejść. A potem pokażę ci uchatki, które kąpią się przy skałach.

— Prawdziwe uchatki?

— I foki, i pelikany, i... nigdy jeszcze tu nie byłaś?

— Raz nawet się wybierałam, ale ta wyprawa kiepsko się skończyła!

— Może. Chociaż w gruncie rzeczy to zależy od punktu widzenia. Ale wydawało mi się, że mamy zamknąć walizkę i żyć teraźniejszością?

*

W tę samą środę stażysta nieco ostentacyjnie położył na biurku Pilgueza grubą teczkę z materiałami dotyczącymi Arthura.

— Co tam masz? — zapytał inspektor, zanim jeszcze zajrzał do środka.

— Będzie pan i rozczarowany, i zachwycony.

174

By dać wyraz zniecierpliwieniu graniczącemu z irytacją, Pilguez przebierał palcami po węźle krawata.

— Raz, dwa, trzy, w porządku, mikrofon działa, gadaj.

Stażysta zerknął do notesu. Jego architekt był porządnym obywatelem. Facet wyglądał na najnormalniejszego pod słońcem. Nie zażywał narkotyków, utrzymywał poprawne stosunki z sąsiadami i oczywiście miał czystą kartotekę. Studiował w Kalifornii, przez pewien czas mieszkał w Europie, skąd wrócił do rodzinnego miasta. Nie należał do żadnej partii politycznej, nie był członkiem żadnej sekty, o nic nie walczył. Płacił podatki i mandaty i nigdy nie został zatrzymany ani za prowadzenie pod wpływem alkoholu, ani nawet za przekroczenie prędkości. Krótko mówiąc, zwykły nudziarz.

— A co ma mnie wprawić w zachwyt?

— Facet nie jest pedałem!

— Do cholery, nie mam nic przeciwko pedałom, skończ z tym wreszcie! Co tam jeszcze masz w tym raporcie?

— Jego poprzedni adres i fotografie, wprawdzie dość stare; wydobyłem je z wydziału ruchu, facet ma wznowić prawo jazdy pod koniec roku; jest tam też artykuł, który opublikował w „Przeglądzie Architektonicznym", kopie dyplomów, wyciągi z kont bankowych oraz kopie tytułów własności.

— Jak to wszystko zdobyłeś?

— Mój kumpel pracuje w urzędzie podatkowym. Ten pański architekt jest sierotą, odziedziczył dom nad zatoką Monterey.

— Myślisz, że wyjechał tam na wakacje?

— Jest tam teraz, i właśnie ta chałupa na pewno pana zainteresuje.

— Dlaczego?

— Ponieważ nie ma tam telefonu, a biorąc pod uwagę, że dom położony jest na uboczu, wydaje się dość dziwne. Odcięto go dziesięć lat temu i nigdy ponownie nie podłączono. Ale w ubiegły piątek facet kazał włączyć prąd i wodę. Pojechał do tego domu po raz pierwszy od wielu lat, w niedzielę wieczorem. Tyle że to jeszcze nie zbrodnia.

— No właśnie! A jednak ta ostatnia informacja bardzo mnie ucieszyła!

— Nic dziwnego!

— Dobra robota! Na pewno będzie z ciebie świetny policjant, skoro myślisz tak pokrętnie.

— Sądzę, że w pańskich ustach to komplement?

— Jasne! — wtrąciła Nathalia.

— Idź do matki tej Kline, pokaż jej zdjęcie i zapytaj, czy z tym facetem rozmawiała w Marinie o eutanazji. Jeżeli go rozpozna, jesteśmy na właściwym tropie.

Stażysta wyszedł z komisariatu, a George Pilguez zaczął przeglądać dostarczone materiały. Czwartkowy poranek był równie owocny. Tuż po rozpoczęciu służby stażysta poinformował go, że pani Kline rozpoznała osobnika ze zdjęcia. Ale najważniejsza wiadomość dotarła do niego w chwili, gdy zamierzał wybrać się z Nathalią na obiad. Właściwie był w jej posiadaniu od dawna, lecz dopiero teraz skojarzył ją ze sprawą. Adres porwanej dziewczyny pokrywał się z adresem młodego architekta. Zbyt wiele wskazywało na Arthura, by nie miał z tym nic wspólnego.

*

— Powinieneś być zadowolony, śledztwo toczy się bardzo sprawnie. Dlaczego robisz taką minę? — wypytywała Nathalia, popijając colę light.

— Ponieważ nie rozumiem, dlaczego miałby to zrobić. Facet nie wygląda na wykolejeńca. Kto wykrada ze szpitala dziewczynę w stanie śpiączki tylko po to, żeby zabawić kumpli? Sprawca musi mieć poważne powody. A poza tym, z tego co mówili w szpitalu, trzeba sporego doświadczenia, żeby wykonać to nakłucie miłosierdzia.

— Nie miłosierdzia, tylko osierdzia. Może była jego dziewczyną?

— Pani Kline utrzymuje, że to wykluczone. Była tego absolutnie pewna, a niemal pewna, że Lauren nie znała Arthura.

— Może to ma jakiś związek z mieszkaniem? — podsunęła Nathalia.

— Też nie — ciągnął inspektor. — Jest tylko lokatorem, a w agencji nieruchomości przekonywali, że wynajął to mieszkanie przez czysty przypadek. Już prawie podpisał umowę na Filbert, ale gorliwy pracownik agencji uparł się, by pokazać mu jeszcze mieszkanie, które właśnie do nich trafiło. Znasz ten typ lalusiów, którzy starają się pozyskać zaufanie klienta i bardzo angażują się w pracę.

— Czyli zajął jej mieszkanie przypadkowo?

— Tak, to zwykły zbieg okoliczności.

— W takim razie, czy to naprawdę on?

— Nie potrafię powiedzieć — odparł krótko.

Żaden z elementów, traktowany z osobna, nie dowodził jego zaangażowania w sprawę. Ale poszczególne kawałki puzzli doskonale do siebie przystawały. To właśnie było wstrząsające. Krótko mówiąc, dopóki Pilguez nie pozna motywu, nie będzie mógł nic zrobić.

— Nie oskarżymy faceta tylko dlatego, że od paru miesięcy wynajmuje mieszkanie kobiety, którą porwano kilka dni temu. W każdym razie, trudno by mi było znaleźć prokuratora, który się na to zgodzi.

Nathalia poradziła mu, żeby przesłuchał architekta, poświecił mu lampą w oczy i złamał. Stary gliniarz zachichotał.

— Wyobrażam sobie początek tego przesłuchania: Drogi panie, wynajmuje pan mieszkanie młodej kobiety, która zapadła w śpiączkę, a nocą z niedzieli na poniedziałek została porwana. W piątek poprzedzający to przestępstwo polecił pan wznowić dopływ prądu i wody do pańskiego domu na wsi. Dlaczego? W tym momencie gość spogląda mi prosto w oczy i mówi, że chyba nie zrozumiał sensu mojego pytania. Właściwie lepiej powiedzieć mu wprost, że to nasz jedyny ślad i że byłoby mi cholernie na rękę, gdyby okazał się sprawcą!

— Weź dwa dni wolnego i śledź go!

— Jeżeli nie uzyskam nakazu, nic mi po tym.

— Chyba że przywieziesz tu tę dziewczynę i że będzie wciąż żywa!

— Myślisz, że to on?

— Wierzę w twój instynkt, nie wierzę w takie zbiegi okoliczności, a przede wszystkim wiem, że kiedy masz taką minę, jesteś już pewien, że znalazłeś winnego, tylko nie masz pojęcia, jak go dopaść. George, najważniejsze, żebyś odnalazł tę dziewczynę, bo nawet jeśli jest w śpiączce, pozostaje zakładniczką. Zapłać rachunek i jedź na wieś!

Pilguez wstał, pocałował Nathalię w czoło, położył na stoliku dwa banknoty i szybko wyszedł z restauracji.

Droga do Carmelu trwała trzy i pół godziny. Pilguez prowadził samochód, myślał jednak wyłącznie o śledztwie — najpierw próbował zrozumieć motyw zbrodni, potem zastanawiał się, jak zbliżyć się do sprawcy, nie płosząc go ani nie wzbudzając podejrzeń.

13

Dom wracał do życia. Jak dzieci, które kolorują kredkami rysunki, starając się nie wykraczać poza linie, Arthur i Lauren wchodzili do każdego z pomieszczeń, otwierali okiennice, zdejmowali pokrowce z mebli, wycierali kurze, czyścili drobiazg po drobiazgu, otwierali wszystkie szafy. A tymczasem teraźniejszość domu brała górę nad wspomnieniem minionych chwil. Życie upomniało się o swe prawa. We czwartek niebo zasnuło się chmurami, a ocean usiłował roztrzaskać skały, które zamykały przed nim drogę do ogrodu. U schyłku dnia Lauren usiadła na werandzie i przypatrywała się temu widowisku. Poszarzała woda niosła splątane algi morskie, pośród których tkwiły gałęzie iglastych drzew. Niebo stało się nagle malinowe, potem czarne. Lauren czuła się szczęśliwa, zawsze lubiła obserwować, jak przyroda wpada w gniew. Arthur skończył porządki w saloniku, bibliotece i gabinecie matki. Postanowił, że jutro weźmie się za piętro i wysprząta trzy sypialnie.

Usiadł na poduszkach zaściełających podłogę pod drzwiami na taras i patrzył na Lauren.

— Czy wiesz, że od obiadu już dziewięć razy zmieniłaś ubranie?

— To wina pisma, które kupiłeś. Nie mogę się zdecydować, tyle tam świetnych ciuchów!

— Taki sposób robienia zakupów wpędziłby w zazdrość każdą kobietę!

— Zaczekaj, nie widziałeś jeszcze wkładki!

— A co w niej jest?

— Szaaa... — położyła palec na ustach. — To specjalny dodatek z damską bielizną.

Arthur stał się świadkiem najbardziej zmysłowego pokazu, jaki oglądały męskie oczy. Potem, ogarnięci czułością spełnionej miłości, w poczuciu ukojenia ducha i ciała, tulili się do siebie w mroku i spoglądali na ocean. Wreszcie usnęli, ukołysani szumem fal.

*

Pilguez dotarł na miejsce o zmroku. Zatrzymał się w Carmel Valley Inn. Recepcjonistka wręczyła mu klucze do dużego pokoju z widokiem na morze. Pokój mieścił się w odległym bungalowie, na skraju parku nad zatoką, toteż inspektor musiał zajechać tam samochodem. Ledwie zaczął rozpakowywać torbę, gdy pierwsze błyskawice rozdarły niebo. Uświadomił sobie, że mieszka o niecałe trzy i pół godziny drogi od tego miejsca, a jednak nigdy dotąd nie zadał sobie odrobiny trudu, by tu przyjechać. I nagle zapragnął porozmawiać z Nathalią, podzielić się z nią tą chwilą, zerwać z samotnością. Podniósł słuchawkę, westchnął i wolniutko ją odłożył, nie wybrawszy numeru.

Zamówił posiłek, usiadł przed telewizorem i zasnął, nim wybiła dziesiąta.

*

Wczesnym rankiem wschodzące słońce świeciło dość mocno, by wystraszyć wszystkie chmury, które rozpierzchły się, odsłaniając niebo. Poranne mgły spowijały dom. Arthur ocknął się na werandzie. Lauren spała z zaciśniętymi w pięść dłońmi.

Sen był dla niej odkryciem. Przez długie miesiące nie mogła go zaznać, toteż dni dłużyły jej się w nieskończoność. Z wysoka, ukryty za ścianą żywopłotu, George uzbrojony w lornetkę, którą otrzymał z okazji dwudziestolecia pracy, śledził każdy ruch w ogrodzie. Około jedenastej zobaczył Arthura zmierzającego alejką ogrodową w jego stronę. Podejrzany skręcił przy rozarium w prawo i otworzył drzwi garażu.

Wszedłszy do środka, Arthur ujrzał mocno zakurzony pokrowiec. Uniósł go, odsłaniając starego forda rocznik 1961. Pod plandeką krył się wóz do złudzenia przypominający muzealne pojazdy. Arthur uśmiechnął się na wspomnienie obsesyjnej pedanterii Antoine'a. Okrążył samochód i otworzył lewe tylne drzwi. Poczuł uderzający w nozdrza zapach starej skóry. Wsiadł, zamknął drzwi, a potem oczy i wspomniał pewien zimowy wieczór przed Macy's na Union Square. Ujrzał człowieka w nieprzemakalnym płaszczu, tego samego, którego chciał uśmiercić z międzygalaktycznej broni, a którego naiwna wrażliwość Lili zdołała ocalić — matka stanęła na linii ognia. Atomowy dezintegrator, któremu dla niepoznaki nadano kształt zapalniczki, musiał być wciąż naładowany. Pomyślał też o gwiazdce roku 1965, kiedy bawiąc się kolejką, utknął w rurze doprowadzającej centralne ogrzewanie.

Wydało mu się, że słyszy szmer silnika. Otworzył okno, wysunął przez nie głowę i poczuł, że wiatr wiejący we wspomnieniu odgarnia jego włosy. Wyciągnął przed siebie rękę, odchylając ją jak skrzydło samolotu, i bawił się jak mały chłopiec. Zmieniał kąt nachylenia ręki, by ustalić kierunek lotu, i to szybował w stronę dachu, to gwałtownie pikował.

Kiedy otworzył oczy, zauważył kartkę przymocowaną do kierownicy.

Arthurze, jeżeli chcesz uruchomić wóz, akumulator znajdziesz na półce po prawej. Zanim włączysz stacyjkę, dwukrotnie wciśnij pedał gazu, żeby benzyna dopłynęła do przewodów. Nie dziw się — to silnik czterosuwowy. Takie stosowano powszechnie na początku lat sześćdziesiątych. Gdybyś musiał napompować koła, kompresor leży w pudle pod akumulatorem. Całuję Cię,

Antoine.

Wysiadł z samochodu, zamknął drzwi i podszedł do półki. Właśnie wtedy, w kącie garażu, zauważył łódkę. Zbliżył się i musnął ją czubkami palców. Pod drewnianą ławką znalazł swoją wędkę z dzieciństwa. Żyłka była owinięta wokół spławika z korka, na jej końcu wisiał haczyk. Ogarnięty wzruszeniem, musiał przyklęknąć. Wstał, sięgnął po akumulator, podniósł maskę starego forda, podłączył elektrody i wsadził wtyczkę do gniazdka. Wychodząc z garażu, otworzył bramę.

George siedział z notatnikiem i robił zapiski. Nie spuszczał podejrzanego z oczu. Widział, jak nakrywa stół w altanie, siada, je obiad, wynosi nakrycie. Zrobił sobie przerwę i zjadł kanapki, kiedy Arthur ułożył się na poduszkach w zacienionym patiu. Był tuż obok, gdy architekt raz jeszcze zniknął w garażu. Słyszał pracę kompresora, następnie warkot silnika, który zakrztusił się parę razy, a potem zaskoczył. Powiódł oczyma za samochodem mijającym bramę i zdecydował przerwać obserwację i udać się do miasteczka, by wypytać miejscowych o tego dziwnego osobnika. Około ósmej wieczorem, po powrocie do hotelu, zadzwonił do Nathalii.

— Mów — ponaglała go — masz coś?

— Nic. Nic niezwykłego. A właściwie prawie nic. Jest sam, przez cały dzień robi masę różnych rzeczy: sprząta, majsterkuje, szykuje sobie obiady i kolacje. Pytałem o niego sprzedawców. Dom należał do jego zmarłej przed laty matki. Potem mieszkał tam ogrodnik, ale i on już nie żyje. Właściwie nic nie wskórałem. Człowiekowi wolno wrócić do domu matki, kiedy mu się podoba.

— W takim razie dlaczego prawie?

— Ponieważ dziwnie się zachowuje, mówi do siebie, kiedy jest przy stole, przysięgłabyś, że ma towarzystwo, czasami siedzi na brzegu morza i przez dziesięć minut trzyma rękę w powietrzu. Wczoraj wieczorem tulił powietrze.

— Jak to?

— Jakby tarzał się po poduszkach z ponętną dziewczyną, tyle że był sam!

— Może w ten sposób przeżywa wydarzenia z przeszłości?

— Za dużo jest tych może!

— Ale ciągle wierzysz, że podejrzenia wobec niego są uzasadnione?

— Nie wiem, moja śliczna. W każdym razie coś mnie w nim niepokoi.

— Ale co?

— Jak na podejrzanego, jest niesłychanie spokojny.

— Czyli ciągle go podejrzewasz.

— Daję sobie jeszcze dwa dni, potem wracam. Jutro zapuszczę się na terytorium wroga.

— Bądź ostrożny!

Odłożył słuchawkę i zamyślił się.

*

Arthur muskał klawiaturę końcami palców. Choć instrument nie brzmiał najlepiej i błagał o strojenie, Arthur zaczął grać fragment z *Werthera*, przeskakując zbyt fałszywie dźwięczące nuty. Była to ulubiona opera Lili. Grając, gawędził z Lauren, która siedziała na parapecie w typowej dla siebie pozycji — oparta plecami o ścianę, jedną nogę wyciągnęła przed siebie, drugą podwinęła.

— Jutro pojadę do miasta po zakupy. Będę musiał zamknąć dom. Wszystkiego zaczyna już brakować.

— Arthurze, jak długo jeszcze zamierzasz rezygnować z normalnego życia?

— Czy naprawdę musimy teraz o tym mówić?

— Być może pozostanę w śpiączce przez całe lata, zastanawiam się tylko, czy zdajesz sobie w pełni sprawę, w co się zaangażowałeś. Masz pracę, przyjaciół, obowiązki, masz własny świat.

— A czym jest ten mój świat? Jestem zewsząd. Nie mam swojego świata, Lauren, jesteśmy tu zaledwie od tygodnia, a ja od dwóch lat nie wyjeżdżałem na wakacje, więc daj mi trochę czasu.

Wziął ją w ramiona i zrobił taką minę, jakby zamierzał usnąć.

— Owszem, masz swój świat. Każdy z nas go ma. Aby dwoje ludzi żyło jedno drugim, muszą się nie tylko kochać, to za mało, muszą do siebie pasować i spotkać się w odpowiedniej chwili. Z nami raczej tak nie jest.

— Powiedziałem, że cię kocham? — podchwycił nieśmiało.

— Dałeś mi nawet dowody miłości — odparła — a to znacznie więcej.

Nie wierzyła w przypadek. Dlaczego z nim jednym na świecie mogła rozmawiać? Dlaczego tak dobrze się rozumieli, dlaczego odnosiła wrażenie, że on potrafi przeniknąć jej myśli?

— Czemu dajesz mi wszystko, co w tobie najlepsze, choć tak mało ode mnie otrzymujesz?

— Ponieważ pojawiłaś się tak nagle i tak szybko, ponieważ jesteś, ponieważ chwila ciebie to nieskończoność. Wczoraj minęło, jutra jeszcze nie ma, liczy się tylko dzień dzisiejszy, tylko teraźniejszość.

Dodał, że teraz nie ma już wyboru i musi uczynić co w jego mocy, by nie umarła...

Właśnie — Lauren bała się tego jutra, którego jeszcze nie ma. Próbując ją uspokoić, Arthur stwierdził, że nadchodzący dzień będzie taki, jakim zechcą go uczynić. A ona będzie żyła dzięki temu, co da, i co zgodzi się przyjąć. Jutro dla każdego z nas pozostaje zagadką, mówił, ale ta zagadka powinna wywoływać uśmiech na ustach i budzić pragnienia, nie strach czy odrzucenie. Całował jej oczy, zamknął dłoń w swej ręce, przylgnął do jej pleców. Niebo nad nimi było czarne. Zapadła głęboka noc.

*

Porządkował bagażnik starego forda, kiedy w górnej części parku dostrzegł tuman pyłu. Pilguez szybko, na nic nie zważając, jechał wewnętrzną drogą, samochód zatrzymał tuż przed drzwiami domu. Arthur wyszedł mu na spotkanie, dźwigając masę różnych rzeczy.

— Dzień dobry, czym mogę służyć? — zapytał intruza.

— Przyjechałem z Monterey, w agencji nieruchomości powiedziano mi, że to opuszczony dom; chciałem kupić coś w tej okolicy, więc przyjechałem obejrzeć, ale wygląda na to, że dom znalazł już nabywcę. Pojawiłem się za późno.

Arthur wyjaśnił, że dom nie został kupiony i nigdy nie był na sprzedaż. To dom jego matki i on właśnie tu wrócił. Ponieważ panował dokuczliwy upał, zaproponował nieznajomemu szklankę lemoniady, ale stary glina podziękował, nie chcąc zabierać mu czasu. Arthur ponowił zaproszenie. Wskazał Pilguezowi ławeczkę na werandzie i powiedział, że wróci za pięć minut. Zamknął klapę bagażnika, wszedł do domu, a po chwili pojawił się z tacą, dwiema szklankami i dużą butelką lemoniady.

— Piękny dom — podjął Pilguez — pewnie trudno znaleźć drugi taki w okolicy?

— Właściwie nie wiem, nie zaglądałem tu od lat.

— Co pana skłoniło do przyjazdu po tak długiej nieobecności?

— Wydaje mi się, że nadeszła pora. Wychowałem się tu, ale od śmierci mamy nigdy nie miałem dość sił, by tu wrócić, aż nagle poczułem, że muszę to zrobić.

— Tak po prostu, bez żadnego szczególnego powodu?

Arthur poczuł się niezręcznie. Ten obcy człowiek zadawał zbyt osobiste pytania i sprawiał wrażenie kogoś, kto wie o czymś, ale nie chce się z tym zdradzić. Poczuł, że intruz próbuje nim manipulować. Nie skojarzył tych pytań z Lauren, sądził raczej, że ma do czynienia z agentem, który usiłuje zaprzyjaźnić się z potencjalną „ofiarą".

— W żadnym wypadku nie pozbędę się tego domu! — skwitował.

— Ma pan całkowitą rację, nie sprzedaje się domu rodzinnego, prawdę mówiąc, uważam to za świętokradztwo.

Arthur zaczął coś podejrzewać i Pilguez wyczuł, że czas się wycofać. Nie będzie przeszkadzał, zresztą pora na niego; zajrzy jeszcze do miasteczka, może znajdzie jakiś inny dom. Podziękował gospodarzowi za miłą rozmowę i poczęstunek. Obaj wstali z miejsc. Pilguez wsiadł do samochodu, przekręcił kluczyk w stacyjce, skinął na pożegnanie ręką i zniknął.

— Czego on chciał? — zapytała Lauren, stając przy bramie.

— Podobno kupić dom.

— Nie podoba mi się to.

— Ani mnie, chociaż nie wiem dlaczego.

— Myślisz, że to gliniarz?

— Nie, wydaje mi się, że wpadamy w manię prześladowczą; nie wyobrażam sobie, jak mogliby trafić na nasz ślad. Uważam, że to pośrednik handlu nieruchomościami, chciał wybadać teren. Nie martw się! Zostaniesz czy pojedziesz ze mną?

— Pojadę! — oznajmiła.

*

Dwadzieścia minut po ich wyjeździe Pilguez szedł pieszo przez ogród w stronę domu.

Kiedy dotarł do celu, przekonał się, że drzwi są zamknięte, i postanowił obejść budynek dokoła. Żadne z okien na parterze nie było otwarte, ale tylko w jednym pomieszczeniu zamknięte były okiennice. Jeden jedyny zamknięty pokój to dla starego policyjnego wygi podstawa do wysunięcia wielu wniosków. Wolał nie zostawać tu zbyt długo. Wrócił prosto do samochodu.

Sięgnął po telefon komórkowy i zadzwonił do Nathalii. Rozmowa była ożywiona, Pilguez wyjaśnił, że nadal nie ma dowodów ani poszlak, ale instynkt podpowiada mu, że to Arthur jest winnym. Nathalia wierzyła w jego przenikliwość, jednak inspektor nie uzyskał pozwolenia na dokonanie rewizji. Był pewien, że klucz do zagadki stanowi motyw działania. A motyw musiał być poważny, skoro człowiek na pierwszy rzut oka zrównoważony, nieborykający się z problemami finansowymi, podjął ryzyko związane z takim czynem. Ale Pilguez nie potrafił rozwikłać tej sprawy. Rozważył wszystkie klasyczne motywy i doszedł do wniosku, że żaden z nich nie wydaje się sensowny. Wtedy przyszło mu na myśl, żeby zablefować. Postanowił posłużyć się kłamstwem, by odkryć prawdę, zaskoczyć Arthura i wychwycić reakcję czy zachowanie, które potwierdziłyby lub rozwiały podejrzenia. Uruchomił silnik, wjechał na teren posiadłości i zaparkował przed wejściem.

Arthur i Lauren wrócili po godzinie. Wysiadając z forda, młody architekt spojrzał Pilguezowi prosto w oczy, a ten ruszył w jego stronę.

— Mam dwie uwagi! — zaczął Arthur. — Po pierwsze, dom nie jest i nie będzie na sprzedaż, po drugie, to teren prywatny!

— Wiem o tym, i nic mnie nie obchodzi, czy chce pan pozbyć się tej posiadłości, czy nie. Pora, żebym się przedstawił!

I zanim jeszcze dokończył, wyjął odznakę. Zbliżył się do Arthura i stając z nim twarzą w twarz, ciągnął:

— Musimy porozmawiać.

— Wydaje mi się, że już pan zaczął.

— To będzie długa rozmowa.

— Mam czas.

— Mogę wejść?

— Bez nakazu nie!

— Popełnia pan błąd, postępując w ten sposób!

— To pan popełnił błąd, okłamując mnie. Przyjąłem pana, częstowałem lemoniadą.

— Czy mogę przynajmniej przysiąść na ganku?

— Owszem, proszę!

I obaj usiedli na balustradzie. Stojąca u podnóża schodów Lauren obserwowała ich z przerażeniem. Arthur mrugnął okiem, chcąc ją uspokoić i dać do zrozumienia, że panuje nad sytuacją i że nie ma powodów do niepokoju.

— W czym mogę panu pomóc? — zapytał policjanta.

— Może mi pan wyjawić motyw działania, bo przez to tkwię w martwym punkcie.

— Jaki motyw?

— Będę z panem szczery, wiem, że to pan.

— Może wydam się panu naiwny, ale przyznaję, tak, to ja, jestem sobą od chwili narodzin, nigdy nie chorowałem na schizofrenię. A teraz proszę wyjaśnić, o czym pan mówi?

Pilguez wyjaśnił więc, że chodzi o ciało Lauren Kline. Oskarżał Arthura o porwanie jej starym ambulansem z Memorial Hospital nocą z niedzieli na poniedziałek. Wiedział, że Arthur miał wspólnika. Poinformował, że karetkę odnaleziono w jednym z warsztatów. Działając zgodnie z przyjętą taktyką, oświadczył, że jest pewien, iż ciało znajduje się tu, w tym domu, a dokładnie w jedynym pokoju, którego okiennice pozostały zamknięte.

— Nie rozumiem tylko dlaczego, i nie daje mi to spokoju.

Dodał, że zamierza wkrótce przejść na emeryturę i uważa, że nie zasłużył sobie, by zakończyć karierę zawodową nierozwiązaną sprawą. Chciał odkryć przyczynę i cel uprowadzenia dziewczyny. W gruncie rzeczy nie interesowało go nic poza pobudkami działania Arthura. Pragnął je zrozumieć.

— Gwiżdżę na to, czy wsadzą pana za kratki. Przez całe życie wysyłałem do więzienia ludzi, którzy po kilku latach wychodzili na wolność i znów popełniali przestępstwa. Za taki czyn dostanie pan najwyżej pięć lat, więc mam to w nosie, chcę po prostu zrozumieć!

Arthur spoglądał na niego, jakby nie pojął ani słowa z całego wywodu.

— Co to za historia z jakimś ciałem i karetką?

— Postaram się zająć panu jak najmniej czasu. Czy zgodzi się pan, żebym bez nakazu rewizji wszedł do pokoju, którego okiennice są zamknięte?

— Nie!

— Dlaczego pan odmawia, skoro nie ma tam nic do ukrycia?

— Ponieważ pokój, który tak bardzo pana interesuje, był kiedyś gabinetem i sypialnią mojej matki i od jej śmierci pozostaje zamknięty. To jedyne pomieszczenie, do którego nie miałem odwagi wrócić, i właśnie dlatego okiennice wciąż są zamknięte. Taka sytuacja trwa od ponad dwudziestu lat. Przekroczę próg jej gabinetu tylko sam i dopiero wtedy, gdy będę do tego gotów. Nie zmienię postanowienia tylko po to, żeby rozwiać bzdurne teorie prowadzącego śledztwo policjanta. Mam nadzieję, że wyraziłem się dość jasno.

— Nie jestem w stanie podważyć pańskich słów. Lepiej już pójdę.

— Świetnie, bo muszę wyjąć zakupy z bagażnika.

Pilguez wstał i ruszył w stronę samochodu. Otwierając drzwi, odwrócił się, spojrzał Arthurowi w oczy, zawahał się przez moment, a potem zaryzykował kolejny blef.

— Jeżeli chce pan odwiedzić to miejsce w samotności, co doskonale rozumiem, radzę uczynić to jeszcze dziś wieczorem. Uprzedzam, że jestem uparty i jutro po południu wrócę tu z nakazem, a wtedy nie będzie pan już mógł wejść tam sam. Oczywiście może pan podjąć próbę przeniesienia ciała w inne miejsce, ale w zabawie w kotka i myszkę to ja będę górą. Mam trzydzieści lat praktyki i potrafię zamienić pańskie życie w koszmar. Zostawiam na balustradzie wizytówkę z numerem telefonu komórkowego. Może jednak zechce mi pan o czymś opowiedzieć.

— Nie uzyska pan nakazu!

— Znam swój fach. Życzę udanego wieczoru.

I odjechał z piskiem opon. Arthur przez dobrych parę minut stał, trzymając się pod boki i starając się uciszyć walące jak młot serce.

14

— Trzeba powiedzieć mu całą prawdę i podjąć negocjacje! — odezwała się Lauren.

— Trzeba czym prędzej znaleźć inne miejsce dla twojego ciała!

— Nie, nie chcę, dość tego! Na pewno ukrył się gdzieś w pobliżu, złapie cię na gorącym uczynku. Wycofaj się z tej gry, Arthurze, stawką jest twoje życie. Przecież słyszałeś, narażasz się na pięć lat więzienia!

Arthur jednak czuł, że policjant blefuje, nie ma żadnych dowodów i nigdy nie uzyska nakazu. Przedstawił jej plan awaryjny — o zmierzchu wyjdą drzwiami wiodącymi do ogrodu i ułożą ciało w barce.

— Popłyniemy wzdłuż brzegu i ukryjemy cię na kilka dni w grocie. Jeżeli policjant wróci, żeby przeprowadzić rewizję, niczego nie znajdzie, a wówczas pozostanie mu przeprosić i dać mi spokój.

— Będzie cię tropił. To policjant i uparty człowiek — mitygowała. — Masz jeszcze szansę wyjść z tego obronną ręką, ale musisz z nim współpracować. Dzięki temu on zyska na czasie i otrzyma klucz do rozwiązania zagadki, a ty będziesz mógł dążyć do ugody. Zrób to teraz, póki nie jest za późno.

— Stawką jest nie moje, ale twoje życie, dlatego w nocy ukryjemy twoje ciało poza domem.

— Arthurze, musisz być rozsądny, skazujesz się na wieczną ucieczkę, a to zbyt niebezpieczne.

Odwrócił się do niej plecami i powtórzył:

— Wieczorem wypłyniemy w morze.

Potem opróżnił bagażnik forda. Reszta dnia minęła im w smętnej zadumie. Niewiele mówili, od czasu do czasu spoglądając tylko na siebie. Późnym popołudniem podeszła i objęła go. Odpłacił czułym pocałunkiem.

— Nie mogę dopuścić, żeby cię zabrali, rozumiesz?

Rozumiała, nie mogła jednak pozwolić, żeby marnował życie.

Czekał, aż się ściemni, a potem wymknął się przez drzwi wiodące na taras do tej części ogrodu, z której można było niepostrzeżenie zejść w dół, na plażę. Stanąwszy na skałach, musiał stwierdzić, że ocean sprzeciwia się jego planom. Potężne fale roztrzaskiwały się o brzeg, uniemożliwiając wyprawę łodzią. Morze rozszalało się, a silny wiatr wzmagał taniec fal. Przykucnął i ukrył twarz w dłoniach.

Podeszła do niego bezszelestnie, położyła mu rękę na ramieniu i uklękła.

— Wracajmy — szepnęła — bo jeszcze się przeziębisz.

— Ja...

— Nic nie mów, uznaj, że to znak, spędzimy tę noc, o nic się nie troszcząc, jutro coś wymyślisz, a zresztą może o świcie ocean się uspokoi.

Lecz Arthur wiedział, że wiatr od morza zapowiada sztorm, który potrwa co najmniej trzy dni. Rozgniewane morze nigdy nie uspokajało się w ciągu jednej nocy. Zjedli kolację w kuchni, a potem rozpalili ogień w kominku w salonie. Mało mówili. Arthur rozmyślał, ale nic nie przychodziło mu do głowy. Na dworze wiatr dął ze zdwojoną siłą, gnąc drzewa, które trzeszczały, bliskie złamania, deszcz dudnił o szyby, a ocean przypuścił bezpardonowy atak na skalną zaporę, broniącą lądu.

— Dawniej lubiłem obserwować rozpętane siły natury. Ten wieczór jest jak zwiastun Twistera*.

— Wygląda na to, że jesteś dziś smutny, Arthurze, a nie powinieneś. Przecież się nie rozstajemy. Wciąż mi powtarzasz, że nie trzeba myśleć o jutrze, więc wykorzystajmy teraz chwile, które nam pozostały.

— Nie potrafię, nie umiem już żyć chwilą, nie myśląc o tym, co będzie potem. Jak to robisz?

— Myślę o minutach, które właśnie przemijają, a one są wieczne.

I zdecydowała się opowiedzieć mu pewną historię, po trosze dla własnej rozrywki. Poprosiła, żeby sobie wyobraził, że wygrał konkurs, zdobywając taką oto nagrodę: co rano bank otwierałby mu konto kredytowe na 86 400 dolarów. Ale podczas całej gry obowiązywałyby dwie zasady:

— Po pierwsze, wszystko, czego nie wydałeś w ciągu dnia, jest ci zabierane wieczorem, nie możesz oszukiwać i przelewać tych pieniędzy na inny rachunek, musisz wydać je co do centa. Po drugie, bank ma prawo przerwać tę grę bez uprzedzenia. W każdej chwili możesz dowiedzieć się, że to już koniec, że rachunek jest zamknięty, a nowego nie będzie. Co byś zrobił?

Nie bardzo rozumiał.

— Arthurze, przecież to proste. To gra. Co rano po przebudzeniu dostajesz osiemdziesiąt sześć tysięcy czterysta dolarów, a jedynym warunkiem jest wydanie ich do wieczora, ponieważ nadwyżka zostanie ci zabrana, kiedy położysz się spać. Te dary nieba czy też gra mogą ustać w każdej chwili, rozumiesz? A pytanie brzmi: co byś zrobił, otrzymując taki dar?

Odpowiedział spontanicznie, że wydawałby każdego dolara na przyjemności, że obsypywałby prezentami tych, których kocha. Postarałby się wykorzystać co do centa dar magicznego banku, by wnosić szczęście w życie własne i tych, którzy go

---

* Superprodukcja filmowa z 1996 roku o grupie naukowców badających tornada.

otaczają, a nawet ludzi, których nie zna, bo nie sądzi, żeby zdołał dzień w dzień wydawać 86 400 dolarów na siebie i najbliższych.

— Ale do czego zmierzasz? — spytał.

— Każdy z nas ma konto w tym magicznym banku, banku czasu! To róg obfitości sekund, które płyną jedna za drugą! Co rano, budząc się, otrzymujemy na kredyt 86 400 sekund życia na ten dzień, tłumaczyła, a kiedy wieczorem zasypiamy, niewykorzystana reszta nie przechodzi na konto dnia następnego, to, czego nie przeżyliśmy w ciągu dnia, przepada, pochłania je wczoraj. Każdego ranka wydarza się nowy cud, zyskujemy kredyt na nowych 86 400 sekund życia i gramy, poddając się tej uświęconej regule — bank może w każdej chwili zlikwidować nasze konto, nie uprzedzając nas o tym — w każdej chwili życie może ustać. Co zatem uczynimy z dzienną porcją 86 400 sekund? Czy sekundy życia nie są cenniejsze od dolarów?

Od wypadku Lauren dostrzegała, jak dalece ludzie nie zdają sobie sprawy, że trzeba cenić i szanować czas. Wyjawiła mu wnioski płynące z jej opowieści.

— Chcesz zrozumieć, czym jest rok życia? Zapytaj o to studenta, który oblał roczny egzamin. Czym jest miesiąc życia, powie ci matka, która wydała na świat wcześniaka, i czeka, by wyjęto go z inkubatora, bo dopiero wówczas będzie mogła przytulić swoje maleństwo. Zapytaj, co znaczy tydzień, robotnika pracującego na utrzymanie rodziny w fabryce albo kopalni. Czym jest dzień, powiedzą ci rozdzieleni kochankowie, czekający na kolejne spotkanie. Co znaczy godzina, wie człowiek cierpiący na klaustrofobię, kiedy utknie w zepsutej windzie. Wagę sekundy poznasz, patrząc w oczy człowieka, który uniknął wypadku samochodowego, o ułamek sekundy pytaj biegacza, który zdobył na igrzyskach olimpijskich srebrny medal, a nie ten złoty, o którym marzył przez całe życie. Życie to magia, Arthurze. Wiem, co mówię, bo od wypadku potrafię ocenić wagę każdej chwili. Dlatego proszę cię, wykorzystajmy te sekundy, które nam pozostały, co do jednej.

Arthur wziął ją w ramiona i szepnął do ucha:

— Każda sekunda z tobą znaczy więcej niż każda sekunda bez ciebie.

Przez resztę nocy leżeli wtuleni w siebie. Sen zmorzył ich wczesnym rankiem. Wicher nie ustawał, lecz nasilał się. Około dziesiątej obudził ich dzwonek telefonu komórkowego Arthura. Inspektor Pilguez prosił o spotkanie i przepraszał, że wczoraj zachował się niestosownie. Arthur wahał się, niepewny, czy ten mężczyzna próbuje nim manipulować, czy też jest szczery. Przypomniał sobie, że wciąż szaleje ulewa, która wyklucza rozmowę na zewnątrz, i w obawie, że inspektor wykorzysta sytuację, by wtargnąć do domu, nie zastanawiając się długo, zaprosił Pilgueza na obiad w przestronnej kuchni. Może chciał okazać się silniejszy, bardziej przebiegły. Lauren powstrzymała się od wszelkich komentarzy, tylko pełen melancholii uśmiech, którego Arthur nie zauważył, zagościł na jej twarzy.

*

Inspektor pojawił się dwie godziny potem. Kiedy Arthur otworzył drzwi, do domu wdarł się tak gwałtowny podmuch wiatru, że Pilguez musiał mu pomagać w ich zamykaniu.

— Potworny huragan! — zawołał.

— Na pewno nie przyszedł pan rozmawiać ze mną o pogodzie.

Lauren poszła za nimi do kuchni. Pilguez rzucił nieprzemakalny płaszcz na krzesło i usiadł przy stole. Czekały tam już dwa nakrycia i sałatka Cezar z kurczakiem z grilla. Na obiad Arthur przygotował również omlety z grzybami, a do tego cabernet z Napa Valley.

— To miło, że tak mnie pan przyjmuje, nie zamierzałem sprawiać panu kłopotu.

— Największy kłopot tkwi w tym, że uporczywie zawraca mi pan głowę jakąś obłąkańczą historią, inspektorze.

— Jeżeli jest naprawdę obłąkańcza, nie zabiorę panu wiele czasu. O ile dobrze pamiętam, jest pan architektem?

— Tak, na pewno zna pan mój życiorys.

— A czym konkretnie się pan zajmuje?

— Moją główną pasją jest restaurowanie dziedzictwa historii.

— To znaczy?

— Przywracanie do życia starych budowli, konserwacja kamienia, to znaczy takie uzupełnianie i zabezpieczanie, które pozwala dostosować go do współczesnych warunków.

Pilguez trafił w dziesiątkę, wciągając Arthura w dyskusję o sprawach, które go pasjonowały, ale już wkrótce inspektor odkrył, że są pasjonujące i dla niego, a architekt potrafi nimi zainteresować. Tak to stary gliniarz wpadł we własne sidła — chcąc wzbudzić zainteresowanie Arthura, zbudować pomost między nim a sobą, uległ czarowi opowieści podejrzanego.

Arthur urządził mu wykład z historii kamienia, od architektury antycznej i tradycyjnej po najnowocześniejsze trendy architektury nowożytnej. Stary policjant słuchał z wypiekami na twarzy, raz po raz zadając pytania, z których rodziły się kolejne pytania, a Arthur udzielał mu wyczerpujących odpowiedzi. Rozmowa trwała ponad dwie godziny, ale żadnemu z nich czas nie dłużył się choćby przez chwilę. Pilguez dowiedział się, jak po trzęsieniu ziemi odbudowano miasto, w którym pracował, poznał dzieje budynków, które widywał co dzień, a także mnóstwo anegdot opowiadających o narodzinach miast i ulic, które dobrze znał.

Pili już kolejną kawę, a zdumiona Lauren cierpliwie przysłuchiwała się rozmowie i obserwowała, jak między inspektorem a Arthurem wytwarza się nić dziwnego porozumienia.

Gdy gospodarz przytaczał jedną z opowieści związanych z narodzinami Golden Gate, Pilguez przerwał mu, kładąc rękę na jego dłoni, i nagle zmienił temat. Pragnął pomówić z nim jak mężczyzna z mężczyzną, nie przyszedł tu jako policjant. Musi zrozumieć, jak to się stało. Powiedział, że jest starym policjantem, którego nigdy dotąd nie zawiódł instynkt. Czuł i wiedział, że ciało zaginionej kobiety jest ukryte w zamkniętym pokoju na końcu korytarza. Mimo to nie potrafił pojąć, jakie były motywy tego porwania. Uważa, że Arthur jest mężczyzną, na jakiego każdy chyba ojciec chciałby wychować swego syna. Miał okazję przekonać się, że jest człowiekiem zdrowym na duchu i ciele, kulturalnym, budzącym sympatię i interesującym, co więc skłoniło go, by tak się narażać, by może nawet zmarnować sobie życie, wykradając ze szpitala pogrążoną w śpiączce kobietę?

— Wielka szkoda, a już myślałem, że się naprawdę polubiliśmy — powiedział Arthur, wstając.

— Bo tak jest, ale to nie ma nic do rzeczy, a raczej ma bardzo dużo. Jestem przekonany, że kierowały panem bardzo poważne pobudki i oferuję swą pomoc.

Postanowił być wobec Arthura całkowicie uczciwy i wyjawił, że dziś wieczorem z pewnością nie uzyska nakazu, ponieważ nie dysponuje wystarczającymi dowodami. Musi jechać do San Francisco, spotkać się z sędzią, przekonać go i nakłonić do podjęcia decyzji, wie jednak, że mu się to uda, chociaż z pewnością zajmie trzy, może cztery dni. Przez ten czas Arthur może przewieźć ciało w inne miejsce, ale Pilguez zapewniał, że byłby to błąd. Nie zna motywów jego działania, po prostu radzi, by nie marnował życia. Teraz jest jeszcze w stanie mu pomóc i oferuje tę pomoc, oczywiście pod warunkiem że Arthur zgodzi się z nim pomówić i wyjaśnić całą zagadkę. W odpowiedzi Arthura brzmiała nutka ironii. Doceniając wielkoduszną propozycję i życzliwość inspektora, był jednak zdumiony, że po dwóch godzinach rozmowy może zrodzić się tak serdeczna zażyłość. Wyznał z żalem, że i on nie bardzo rozumie swego gościa. Pilguez pojawił się w jego domu, spotkał się z uprzejmym przyjęciem, zjadł obiad i wciąż uporczywie oskarżał go o absurdalne przestępstwo, mimo że nie potrafi przedstawić przekonywających dowodów jego winy czy choćby motywów działania.

— Nie, to pan jest uparty — odparł Pilguez.

— Chciałbym wiedzieć, co pana skłoniło do udzielania

pomocy człowiekowi, którego uważa pan za winnego? Rozumiem, że chce pan rozwiązać kolejną zagadkę, ale poza tym...

Stary policjant znów odpowiedział szczerze — ma na koncie wiele rozwikłanych spraw, poznał setki najbardziej absurdalnych motywów, zetknął się z odrażającymi zbrodniami, ale wszystkich winnych łączyło jedno — byli przestępcami o wypaczonej psychice, zboczeńcami, maniakami. Inspektor nie dostrzegał tych cech u Arthura. Skoro zatem przez całe życie wysyłał różnego pokroju wariatów za kratki, raz mógł uchronić przed więzieniem porządnego człowieka, który wpakował się w idiotyczną sytuację.

— Przynajmniej będę miał świadomość, że stanąłem po właściwej stronie — zakończył.

— To naprawdę wspaniały gest, mówię szczerze. Obiad w pańskim towarzystwie był dla mnie przyjemnością, ale nie jestem zamieszany w sprawę, o której pan mówi. Nie chcę pana wypraszać, jednak mam sporo zajęć. Może kiedyś nadarzy się jeszcze okazja do rozmowy.

Pilguez smętnie pokiwał głową i wstając, sięgnął po płaszcz. Lauren, która przez cały czas siedziała na blacie kuchennym, zeskoczyła na ziemię i ruszyła w ślad za nimi do przedpokoju.

Inspektor przystanął, mijając drzwi gabinetu, i spojrzał na klamkę.

— Zdecydował się pan otworzyć ten kuferek wspomnień?

— Nie, jeszcze nie — odparł Arthur.

— Czasami trudno powrócić do przeszłości. To wymaga ogromnej siły i odwagi.

— Tak, wiem. Staram się zebrać siły.

— Młodzieńcze, wiem, że się nie mylę, instynkt nigdy mnie nie zawiódł.

W chwili gdy Arthur zamierzał pożegnać gościa, klamka poruszyła się, jakby nacisnął ją ktoś znajdujący się wewnątrz. Drzwi otwarły się nagle. Zdumiony Arthur odwrócił się gwałtownie. Lauren stała w progu, a na jej ustach gościł smutny uśmiech.

— Dlaczego to zrobiłaś? — szepnął, z trudem dobywając głosu.

— Bo cię kocham.

Z miejsca, w którym przystanął Pilguez, trudno było nie zobaczyć złożonego na łóżku ciała Lauren i kroplówki.

— Bogu dzięki, wciąż żyje. — Inspektor wszedł do pokoju, zostawiając Arthura w drzwiach, zbliżył się do nieprzytomnej kobiety i przyklęknął. Lauren objęła Arthura i czule pocałowała go w policzek.

— Nie mógłbyś, nie chcę, żebyś przeze mnie zmarnował resztę życia, chcę, żebyś żył swobodnie, pragnę twego szczęścia.

— Przecież ty jesteś moim szczęściem.

Położyła mu palec na ustach.

— Nie, to nie tak, nie w tych okolicznościach.

— Z kim pan rozmawia? — zapytał stary policjant. Jego głos brzmiał przyjaźnie.

— Z nią.

— Jeżeli chce pan mojej pomocy, musi mi pan teraz wszystko dokładnie wyjaśnić.

Arthur spojrzał na Lauren. W jego oczach malowała się rozpacz.

— Musisz mu powiedzieć całą prawdę. I tak ci nie uwierzy, ale trzymaj się prawdy.

— Proszę — zwrócił się do Pilgueza — wróćmy do salonu, wszystko panu wytłumaczę.

Mężczyźni usiedli na kanapie i Arthur zaczął opowieść o tym, co się wydarzyło od chwili, gdy znalazł w swojej szafie nieznajomą i usłyszał od niej: To, o czym za chwilę opowiem, trudno zrozumieć, nie sposób w to uwierzyć, jeżeli jednak zechce pan wysłuchać mojej historii, jeżeli zechce mi pan zaufać, może da pan wiarę mym słowom; to dla mnie bardzo ważne, ponieważ nawet nie zdając sobie z tego sprawy, jest pan jedyną osobą na świecie, z którą mogę dzielić mój sekret.

Pilguez słuchał, nie przerywając mu ani razu. Znacznie później, już nocą, kiedy Arthur zamilkł, inspektor wstał z fotela i przez chwilę bacznie przyglądał się rozmówcy.

— Sam pan widzi, inspektorze, teraz jestem tylko jeszcze jednym szaleńcem w pańskiej kolekcji!

— Czy ona jest tu z nami? — zapytał Pilguez.

— Siedzi w fotelu na wprost pana i przygląda się panu.

Pilguez gładził się po brodzie, kiwając głową.

— Oczywiście — mruknął — oczywiście.

— Co pan teraz zrobi? — zapytał Arthur.

Uwierzy mu! A jeżeli Arthur zastanawia się dlaczego, to odpowiedź wyda mu się zadziwiająco prosta. Żeby wymyślić taką historię i uwierzyć w nią na tyle mocno, by podejmować ryzyko, jakie on podjął, trzeba być nie szaleńcem, ale kompletnym debilem. Jednak człowiek, który niedawno opowiadał mu dzieje miasta, któremu on sam służył od ponad trzydziestu lat, nie był debilem.

— Skoro tak bardzo zaangażował się pan w tę sprawę, na pewno mówi pan prawdę. Nie wierzę zbyt mocno w Boga, ale wierzę w ludzką duszę i sumienie, a poza tym jestem już bliski emerytury i po prostu chcę panu uwierzyć.

— Co pan zamierza?

— Czy sądzi pan, że zniosłaby podróż do miasta, do szpitala, moim samochodem?

— Tak, to nie byłoby dla niej niebezpieczne — odparł Arthur, a w jego głosie wyczuwało się ogrom rozpaczy.

W takim razie inspektor spełni to, do czego się zobowiązał. Wyciągnie Arthura z tej fatalnej sytuacji.

— Ale ja nie chcę się z nią rozstawać, nie chcę, by ją uśmiercili!

To była już inna sprawa i odrębna walka.

— Nie jestem w stanie wszystkiego załatwić, przyjacielu!

Pilguez i tak ryzykował, wywożąc stąd ciało. Miał tylko tę noc i trzy godziny podróży na znalezienie sensownego wyjaśnienia faktu, że odnalazł ofiarę, a nie zna jej porywacza.

Ponieważ żyła i nie poniosła najmniejszego uszczerbku, miał nadzieję, że zdoła szybko doprowadzić do umorzenia sprawy. Nic więcej nie mógł zrobić.

— Ale to chyba i tak dużo, prawda?

— Dziękuję — powiedział Arthur.

— Zostawię wam dwojgu jeszcze tę noc, przyjadę jutro około ósmej, proszę przygotować ją do podróży.

— Dlaczego pan to robi?

— Już mówiłem. Po prostu wzbudził pan nie tylko moją sympatię, ale i szacunek. Nigdy nie dowiem się, czy pańska opowieść jest prawdziwa, czy może zrodziła się w pańskich snach. Tak czy inaczej, uwzględniając pański tok rozumowania, działał pan dla jej dobra, można by wręcz przyjąć, że był to rodzaj obrony własnej czy, jeśli ktoś woli, podjęcie działań w stanie wyższej konieczności. Nie obchodzą mnie te prawne niuanse. Ten, kto działa w imię dobra lub chce wskazać lepszą drogę, jest człowiekiem odważnym, a kiedy przychodzi mu wkroczyć do akcji, czyni to, nie licząc się z konsekwencjami. Ale dość tej gadaniny, wykorzystajcie czas, który wam pozostał.

Policjant podniósł się i ruszył w stronę wyjścia, a Lauren i Arthur odprowadzili go. Kiedy otworzyli drzwi, do domu znów wtargnął porywisty wiatr.

— Do jutra — powiedział.

— Do jutra — odrzekł Arthur, chowając ręce w kieszeniach.

Pilguez zniknął pośród zawiei.

*

Tej nocy Arthur nie zmrużył oka. Wczesnym rankiem wszedł do gabinetu, aby przygotować ciało Lauren do podróży. Potem wrócił do sypialni spakować walizkę, zamknął wszystkie okiennice, odciął dopływ gazu i elektryczności. Musieli oboje wrócić do mieszkania w San Francisco. Lauren nie mogła pozostawać długo z dala od swojego ciała, wówczas bowiem czuła się wyczerpana i bardzo słaba. Rozmawiali o tym przez całą noc i uzgodnili, że tak właśnie postąpią. Kiedy Pilguez zabierze ciało, oni także wyruszą w drogę powrotną. Inspektor pojawił się o ustalonej porze. Kwadrans później otulone kocami ciało Lauren na pół leżało na tylnym siedzeniu jego samochodu. O dziewiątej dom był już zamknięty i opuszczony, a dwa pojazdy sunęły drogą wiodącą do miasta. Pilguez dotarł do szpitala około południa, Arthur i Lauren mniej więcej o tej samej porze wrócili do mieszkania.

15

Pilguez dotrzymał słowa. Odstawił nieprzytomną pasażerkę do izby przyjęć. W niespełna pół godziny potem ciało Lauren znów trafiło do pokoju, z którego zniknęło przed kilkoma dniami. Inspektor wrócił do komisariatu i niezwłocznie udał się do gabinetu przełożonego. Nikt nigdy nie dowiedział się, o czym rozmawiali, wiadomo tylko, że Pilguez spędził tam ponad dwie godziny, a kiedy wyszedł, niosąc pod pachą grubą teczkę, skierował się w stronę biurka Nathalii. Rzucił dokumenty na blat, spojrzał jej w oczy i kazał niezwłocznie umieścić teczkę w szufladzie spraw umorzonych.

Arthur i Lauren na nowo zadomowili się w mieszkaniu przy Green Street, a popołudnie spędzili w Marinie, przechadzając się nad brzegiem morza. Odzyskiwali nadzieję, nic nie wskazywało bowiem, by wszczęto procedurę eutanazji. Być może wydarzenia ostatnich dni skłoniły matkę Lauren do zmiany decyzji. Zjedli kolację u Perry'ego i wrócili około dziesiątej wieczorem. Potem oglądali film.

*

Życie wracało do normalnego rytmu, a każdy przemijający dzień sprawiał, że coraz częściej zapominali o sprawie, która przecież do niedawna zaprzątała ich myśli.

Arthur zaglądał od czasu do czasu do biura, by podpisać jakieś dokumenty. Resztę dnia spędzali razem — chadzali do kina i na długie spacery po Golden Gate Park. W któryś weekend wybrali się do Tiburon, do domu, który przyjaciel Arthura udostępniał mu na czas swych wypraw do Azji. Kiedyś znowu przez kilka dni pływali jachtem po zatoce, trzymając się blisko brzegu i robiąc częste postoje.

Bywali na spektaklach w mieście, oglądali musicale, balety, sztuki teatralne, słuchali koncertów. Czas upływał im leniwie, jak podczas długich wakacji, kiedy człowiek niczego sobie nie odmawia. Żyli teraźniejszością, przynajmniej raz w życiu niczego nie planując. Myśleli wyłącznie o tym, co się im przytrafiało. Zgodnie z teorią sekund, mówili. Ludzie, na których się natykali, uważali Arthura za szaleńca, bo gadał do siebie i trzymał rękę dziwnie uniesioną, tuląc powietrze. W restauracjach, które odwiedzali, kelnerzy przywykli do mężczyzny siadającego samotnie przy stoliku i przechylającego się nagle, jakby ujmował niewidzialną dla innych rękę i całował ją, mówiącego do siebie łagodnym głosem albo przytrzymującego drzwi, jakby przepuszczał nieistniejącą towarzyszkę. Jedni sądzili, że postradał zmysły, inni wyobrażali sobie, że owdowiał i żyje wspomnieniem o zmarłej żonie. Arthur nic sobie z tego nie robił, rozkoszował się każdą chwilą, którą los podarował ich miłości. W ciągu paru tygodni stali się przyjaciółmi, kochankami, towarzyszami życia. Paul przestał się wreszcie niepokoić, uznał, że to przejściowy kryzys. Ponieważ porwanie nie pociągnęło za sobą poważniejszych konsekwencji, kierował firmą, wierząc, że pewnego dnia wspólnik odzyska zdrowy rozsądek i wszystko wróci do normy. Przestał się spieszyć. Za najważniejsze uznał, że ten, którego nazywał bratem, miewa się lepiej, a właściwie całkiem dobrze, choćby nawet chciał żyć w swoim własnym, odrębnym świecie.

*

Tak upłynęły trzy miesiące. Nic nie zakłócało ich spokoju. Stało się to w pewien wtorkowy wieczór. Położyli się po wieczorze spędzonym w zaciszu domu. Pieścili się i wspólnie czytali ostatnie strony powieści, której lekturę dzielili, ponieważ Lauren nie mogła sama przewracać kart książki. Zasnęli późną nocą, przytuleni do siebie.

Dochodziła szósta rano, kiedy Lauren poderwała się i wykrzyknęła jego imię. Arthur przebudził się i szeroko otworzył oczy. Siedziała po turecku, była blada, niemal przezroczysta.

— Co się stało, co ci jest? — zapytał z niepokojem.

— Przytul mnie mocno, błagam cię, obejmij mnie.

Usłuchał natychmiast, a ona, zanim zdążył powtórzyć pytanie, dotknęła ręką jego policzka i pogładziła delikatny zarost. Jej dłoń powędrowała ku brodzie, potem przesunęła się na kark i objęła go z niezwykłą czułością. W oczach Lauren wezbrały łzy. Przemówiła.

— Nadszedł czas, kochanie, już mnie zabierają, wkrótce zniknę.

— Nie! — krzyknął, tuląc ją jeszcze mocniej.

— Bóg mi świadkiem, że nie chcę cię opuścić, że ponad wszystko pragnę, by nasze wspólne życie trwało wiecznie, chociaż właściwie jeszcze się nie zaczęło.

— Nie możesz odejść, nie wolno ci, błagam, walcz z nimi!

— Nic nie mów; posłuchaj, czuję, że mam niewiele czasu. Dałeś mi coś, czego istnienia nawet się nie domyślałam; dopóki cię nie spotkałam, dopóki nie zaczęliśmy wspólnego życia, nie wyobrażałam sobie, że miłość może dostarczyć tylu tak zwyczajnych i prostych doznań. To, co przeżyłam wcześniej, nie jest warte jednej sekundy spędzonej z tobą. Chcę, żebyś wiedział, jak bardzo cię kochałam. Nie wiem, ku jakim brzegom płynę, ale jeśli jakiś brzeg istnieje, będę cię kochała z całą siłą, z całą radością, jaką wniosłeś w moje życie.

— Nie chcę, żebyś odeszła!

— Cicho, nic nie mów, słuchaj!

I wciąż mówiła, a jej postać z każdą chwilą stawała się coraz bardziej przezroczysta. Jej skóra miała już barwę wody. Arthur czuł, że zaciska dłonie w próżni, która stopniowo wypełniała miejsce Lauren. Miał wrażenie, że ukochana kobieta ulatuje.

— Mam przed oczyma czar twych uśmiechów — ciągnęła. — Dziękuję za każdy twój śmiech, za twoją czułość. Pragnę, byś żył, pragnę, byś wrócił do normalnego życia, kiedy mnie już tu nie będzie.

— Bez ciebie nie potrafię.

— Nie, nie zatrzymuj wyłącznie dla siebie tego, co w sobie nosisz. Musisz to dać innej, nie wolno dopuszczać się takiego marnotrawstwa.

— Błagam cię, Lauren, nie odchodź.

— Nie mogę zostać, to jest silniejsze ode mnie. To nie boli, po prostu czuję, że się oddalasz, słyszę cię jak zza ściany, zaczynam widzieć jak przez mgłę. Tak bardzo się boję, Arthurze. Tak bardzo się boję... bez ciebie. Zatrzymaj mnie jeszcze na chwilę.

— Tulę cię z całych sił, już nic nie czujesz?

— Bardzo słabo, Arthurze.

Rozpłakali się oboje i oboje wstydzili się tych łez i tłumili szloch. Teraz jeszcze lepiej rozumieli znaczenie każdej sekundy życia, wartość chwili, wagę jednego jedynego słowa. Przytulili się do siebie. Zanim upłynęło tych parę minut nieskończonego pocałunku, Lauren zniknęła. Ręce Arthura zawisły w próżni, potem splotły się w ostatniej próbie uścisku. Ogarnięty rozpaczą, osunął się na kolana, głośno płacząc.

Drżał na całym ciele, jego głowa bezwładnie kiwała się i opadała, palce zacisnęły się tak mocno, że z poranionych paznokciami dłoni popłynęła krew.

— Nie!!! — wykrzykiwał jak zranione zwierzę, a jego krzyki wypełniły pokój i wprawiły w drżenie szyby. Próbował się podnieść, ale tylko zachwiał się i upadł, wciąż przyciskając do siebie ramiona. Stracił przytomność i ocknął się dopiero po kilku godzinach. Był blady i tak osłabiony, że z najwyższym trudem doczołgał się do parapetu, na którym Lauren zwykła była przesiadywać. Teraz o nic już nie walczył. Leżał, spoglądając gdzieś przed siebie pustym wzrokiem.

*

Arthur pogrążył się w świecie pustki i nawykł do jej szczególnego brzmienia, które wypełnia nas i odbija się echem w głowie. Ta pustka wdarła się w jego żyły, owładnęła sercem i sprawiła, że co dnia biło ono innym rytmem.

Początkowo odczuwał gniew, przeżywał chwile zwątpienia, doznawał zazdrości. Nie był zazdrosny o innych, lecz o te skradzione chwile, o czas, który przemija. Złowroga pustka wkradała się w każdy zakątek myśli, odmieniała sferę doznań, wyostrzając je, czyniąc bardziej skrajnymi, a przez to dotkliwymi. W pierwszej chwili można by pomyśleć, że wszystko to jątrzy jego rany, było jednak zupełnie inaczej. Doznania wyostrzały się, by mocniej go wypełnić. Odczuwał brak innej osoby i brak miłości każdą cząstką ciała, walczył z żądzą cielesną, uświadamiał sobie, że jego powonienie szuka znajomego zapachu, dłoń łona, które chce pieścić, oko przez łzy widzi już tylko wspomnienia, skóra domaga się dotyku jej skóry, dłoń raz po raz chwyta pustkę, palce zaciskają się w narzuconym przez umysł rytmie.

Przez wiele długich nocy i równie długich dni, pogrążony w rozpaczy, przesiadywał w domu. Przenosił się od biurka, przy którym pisywał listy do ducha, na łóżko, gdzie kładł się, by patrzeć w sufit, którego wcale nie widział. Nie zwrócił nawet uwagi, że słuchawka telefonu leży obok aparatu, a sam aparat na podłodze. Widocznie spadł, ale Arthura to nie obchodziło, nie czekał przecież na żaden telefon. Teraz nic już nie miało znaczenia.

*

Któregoś parnego wieczoru wyszedł zaczerpnąć powietrza. Padało, więc włożył płaszcz. Starczyło mu sił, żeby przejść na drugą stronę ulicy i stanąć na wprost domu. Usiadł na murku i spojrzał na uliczkę, która o tej późnej porze wydawała się czarno-biała. U wylotu korytarza, który tworzyła, stał otoczony ogródkiem wiktoriański dom. Tylko w jednym oknie paliły się jeszcze jasne światła, rozpraszając wokół mrok bezksiężycowej nocy. Było to okno jego salonu. Deszcz ustał, ale było mokro. Wodą ociekał także płaszcz Arthura, wpatrującego się w okno i wciąż jeszcze dostrzegającego za szybami Lauren i jej miękkie, łagodne ruchy.

Po chwili wymknęła się, przyprawiając go o lekkie ukłucie w sercu.

A jemu wydawało się, że cień latarni ulicznej kryje mniejszy, delikatny cień jej sylwetki, znikającej za rogiem ulicy. Jak zawsze, gdy czuł się niezbyt pewnie, wsunął ręce do kieszeni płaszcza, skulił się lekko i ruszył przed siebie.

Idąc wzdłuż szarych murów, podążał śladami Lauren, ale tak wolno, by nigdy się z nią nie złączyć. U wylotu uliczki zawahał się, potem spłoszyła go mżawka: zatrzymał się, przemarznięty do szpiku kości.

Przysiadłszy na murku, raz jeszcze przeżywał każdą minutę tego życia, które los przerwał zbyt brutalnie.

Arthurze, wątpliwości i wybory, których, borykając się z nimi, dokonujesz, są dwiema siłami wprawiającymi w drgania struny naszych uczuć. Pamiętaj, że ważne jest tylko to, by owe wibracje dawały harmonijne brzmienie.

Głos i wspomnienie nauk matki wyłoniły się z głębi jego jestestwa. Właśnie wtedy Arthur dźwignął się ciężko, raz jeszcze spojrzał w okno i odwrócił się z poczuciem winy osoby, która nie zdała egzaminu życia.

Biel biorąca górę nad czernią nocnego nieba zapowiadała narodziny szarego dnia. Wczesny ranek zawsze jest cichy i spokojny, ale tylko czasami spokój staje się synonimem braku, przeważnie, przyjazny, niesie bogactwo wrażeń. O tych ostatnich porankach Arthur myślał, wracając do domu.

*

Leżał na dywanie w salonie i zdawał się gawędzić z ptakami, kiedy ktoś głośno zapukał do jego drzwi. Nawet nie drgnął.

— Arthurze, jesteś tam? Wiem, że jesteś w domu! Do diabła, otwórz te drzwi! Otwieraj! — wrzeszczał Paul, dobijając się coraz bardziej niecierpliwie. — Otwieraj, bo wyważę drzwi!

Futryna drgnęła, gdy Paul uderzył w nią ramieniem.

— Cholera, coś sobie zrobiłem, chyba zwichnąłem obojczyk, otwórz wreszcie!

Arthur wstał i podszedł do drzwi, przekręcił zamek i odwrócił się na pięcie. Nie zamierzając witać przyjaciela, wtulił się w kanapę. Znalazłszy się w salonie, Paul stanął jak wryty. Przeraził go panujący wszędzie bałagan. Podłogę zaściełały dziesiątki kartek zapisanych przez Arthura. W kuchni, na blatach i stołach, walały się puste puszki po konserwach, w zlewie piętrzyły się brudne naczynia.

— Widzę, że przez twój dom przetoczyła się wojna, a ty przegrałeś?

Arthur milczał.

— Rozumiem, poddali cię torturom, przecięli struny głosowe. Hej, powiedz coś, ogłuchłeś? To ja, twój wspólnik! Cierpisz na katalepsję czy tak się schlałeś, że dotąd nie możesz wytrzeźwieć?!

Paul spostrzegł, że Arthur szlocha. Przysiadł obok niego i położył mu dłoń na ramieniu.

— Arthurze, powiedz, co się stało?

— Ona umarła. To już dziesięć dni. Po prostu odeszła tamego ranka. Zabili ją. Nie mogę się z tym pogodzić, nie potrafię!

— Widzę.

Paul uścisał przyjaciela.

— Wypłacz się, stary, płacz, póki możesz. Podobno łzy łagodzą cierpienie.

— Nic innego nie robię, wciąż tylko płaczę!

— To dobrze, nie krępuj się. Widocznie jeszcze ci tego trzeba, jeszcze się nie oczyściłeś.

Paul zerknął na aparat telefoniczny, wstał i położył słuchawkę na widełki.

— Wykręcałem twój numer setki razy, szkoda, że nie przyszło ci do głowy odłożyć słuchawki!

— Nawet nie zauważyłem, że spadła.

— Nie zauważyłeś, że przez dziesięć dni nikt do ciebie nie dzwonił?

— Co mnie obchodzą telefony!

— Czas z tym skończyć, przyjacielu. Ta sprawa od początku mnie przerastała, ale teraz widzę, że przerosła i ciebie. Śniłeś, Arthurze, i ta niesamowita historia wciągnęła cię w swój wir. Musisz zejść na ziemię, bo zmarnujesz sobie życie. Przestałeś pracować i wyglądasz jak kloszard. Jesteś chudy jak szczapa, nadałbyś się do filmu o wielkim kryzysie. Od tygodni nie zajrzałeś do biura, ludzie pytają, czy żyjesz. Zakochałeś się w kobiecie, która zapadła w śpiączkę, uroiłeś sobie historię nie z tej ziemi, wykradłeś ją ze szpitala, a teraz przywdziałeś żałobę po jej duchu. Czy zdajesz sobie sprawę, że w tym mieście jest psychiatra, który zostanie milionerem, chociaż jeszcze o tym nie wie? Arthurze, potrzebujesz pomocy lekarza. Nie masz wyboru, nie pozwolę, żebyś się pogrążył. To wszystko było tylko snem, który przerodził się w koszmar.

Paul zamilkł, słysząc dzwonek telefonu. Natychmiast podniósł słuchawkę i po chwili podał ją Arthurowi.

— To ten policjant, jest wściekły. On też próbuje się z tobą skontaktować od dziesięciu dni. Chce z tobą natychmiast rozmawiać.

— Nie mam mu już nic do powiedzenia.

Paul zasłonił dłonią mikrofon.

— Albo z nim pomówisz, albo wepchnę ci ten telefon do gardła. — I przycisnął słuchawkę do jego ucha. Arthur słuchał w milczeniu. Nagle poderwał się na równe nogi. Podziękował rozmówcy i zaczął gorączkowo przetrząsać zabałaganione mieszkanie, szukając kluczyków do samochodu.

— Może przynajmniej powiesz, co się stało? — zapytał wspólnik.

— Nie mam czasu, muszę znaleźć te przeklęte kluczyki.

— Jadą cię aresztować?

— Skądże! Pomóż mi, zamiast wygadywać bzdury!

— O, facet poczuł się zdecydowanie lepiej, znowu na mnie wrzeszczy...

Arthur znalazł kluczyki, przeprosił Paula, powtórzył, że nie ma czasu na wyjaśnienia, że bardzo mu się spieszy i że odezwie się wieczorem. Osłupiały Paul szeroko otworzył oczy.

— Nie mam pojęcia, dokąd się wybierasz, ale jeżeli między ludzi, radziłbym zrzucić te łachy i ubrać się normalnie. Mógłbyś też umyć przynajmniej twarz.

Arthur zawahał się, zerknął na swoje odbicie w lustrze salonu, pobiegł do łazienki, ale odwrócił oczy od szafy, są bowiem miejsca, których widok jątrzy rany. Potrzebował kilku minut, aby się umyć, ogolić i przebrać. Wypadł z domu jak strzała, nie mówiąc nawet „do widzenia", i zbiegł po schodach do garażu.

*

Samochód mknął przez miasto tak szybko, jak było to możliwe. Zatrzymał się na parkingu San Francisco Memorial Hospital. Arthur nie marnował chwili potrzebnej na zamknięcie drzwi i pobiegł prosto do rejestracji. Kiedy zadyszany stanął przy okienku, zobaczył siedzącego w fotelu poczekalni Pilgueza. Inspektor wstał i wziął go pod rękę, prosząc, by się uspokoił. W szpitalu była matka Lauren. Ze względu na okoliczności Pilguez o wszystkim, a właściwie prawie o wszystkim jej powiedział. Czekała na Arthura na piątym piętrze, w hallu.

16

Matka Lauren siedziała na krześle przy drzwiach sali intensywnej opieki. Kiedy go zauważyła, wstała i ruszyła w jego kierunku. Wzięła go w ramiona i serdecznie ucałowała.

— Właściwie pana nie znam, spotkaliśmy się tylko raz, na pewno pan pamięta, w Marinie. Wtedy rozpoznała pana suczka Lauren. Nie mam pojęcia dlaczego, nie wszystko zdołałam zrozumieć, ale zawdzięczam panu tak wiele, że chyba nigdy nie zdołam panu podziękować.

Potem przedstawiła mu obecną sytuację. Przed tygodniem Lauren ocknęła się ze śpiączki. Nikt nie potrafił wyjaśnić, jak do tego doszło. Pewnego ranka elektroencefalogram, od tylu miesięcy płaski, zaczął wskazywać na dużą aktywność mózgu. Dyżurna pielęgniarka zauważyła tę zmianę. Natychmiast powiadomiła lekarza i pokój na kilka godzin przeistoczył się w ul, do którego wpadali coraz to inni lekarze — jedni, by wyrazić opinię na temat obserwowanego zjawiska, inni tylko po to, by zobaczyć pacjentkę, która wyszła z głębokiej komy. Przez pierwsze dni Lauren była jeszcze nieprzytomna. Z czasem zaczęła poruszać palcami rąk. Od wczoraj po kilka godzin dziennie miała otwarte oczy i przypatrywała się bacznie wszystkiemu, co działo się wokół niej. Nadal nie mogła mówić ani wydawać żadnych dźwięków. Niektórzy profesorowie sądzili, że trzeba będzie uczyć ją mowy, inni byli zdania, że i ta funkcja powróci jak inne, kiedy nadejdzie czas. Wczoraj wieczorem odpowiedziała na pytanie zmrużeniem oczu. Była bardzo słaba i wydawało się, że uniesienie ręki wymaga od niej ogromnego wysiłku. Lekarze tłumaczyli to atrofią mięśni, spowodowaną długotrwałym leżeniem w bezruchu. Ale i to, z biegiem czasu i dzięki rehabilitacji, wróci do normy. I wreszcie wyniki tomografii komputerowej, której poddano mózg Lauren, dawały podstawy do optymizmu. Trzeba tylko cierpliwie czekać.

Arthur nie słuchał reszty wyjaśnień. Spieszno mu było wejść do pokoju. Elektrokardiograf popiskiwał z uspokajającą regularnością. Lauren miała zamknięte oczy. Spała. Jej twarz była blada, ale nie straciła na urodzie. Ujrzawszy ją, doznał silnego wzruszenia. Przysiadł na skraju łóżka i ujął jej dłoń w swe ręce, by ją ucałować. Potem przeniósł się na krzesło i przez długie godziny patrzył na dziewczynę.

Wczesnym wieczorem otworzyła oczy, popatrzyła na niego przez chwilę i wreszcie się uśmiechnęła.

— Wszystko będzie dobrze, jestem przy tobie — powiedział półgłosem. — Nie męcz się, wkrótce zaczniesz mówić.

Zmarszczyła brwi, jakby nad czymś się zastanawiając, po czym znów uśmiechnęła się do niego i zapadła w sen.

*

Arthur codziennie przychodził do szpitala. Siadał na wprost Lauren i czekał, aż się obudzi. Zawsze do niej mówił, opowiadał o tym, co dzieje się na zewnątrz. Nie mogła mu odpowiedzieć, ale wpatrywała się w niego, kiedy się do niej zwracał, a potem usypiała.

*

Tak minęło dziesięć kolejnych dni. Matka Lauren i Arthur na zmianę czuwali przy chorej. Dwa tygodnie później, kiedy

Arthur zrozumiał od razu. Poczuł ukłucie w sercu, ale przywołał na twarz najczulszy, pełen miłości uśmiech, i powiedział:

— To, o czym za chwilę opowiem, trudno zrozumieć, nie sposób w to uwierzyć, jeżeli jednak zechce pani wysłuchać mojej historii, jeżeli zechce mi pani zaufać, może da pani wiarę mym słowom; to dla mnie bardzo ważne, ponieważ nawet nie zdając sobie z tego sprawy, jest pani jedyną osobą na świecie, z którą mogę dzielić mój sekret.

Podziękowania

Pragnę podziękować: Nathalie André, Paulowi Boujenah, Bernardowi Fixot, Philippe'owi Guez, Rébbece Hayat, Raymondowi i Danièle Levy, Lorraine Levy, Rémiemu Mangin, Coco Miller, Julie du Page, Anne-Marie Périer, Jean-Marie Périer, Manon Sbaïz, Aline Souliers

oraz

Bernardowi Barrault i Susannie Lea.